교 GO!

GO! 매쓰

GO!

Run-C

교과서 사고력

수학 **2**-2

구성과 특징

1주차 교과 집중 학습

1 교과서 개념 완성

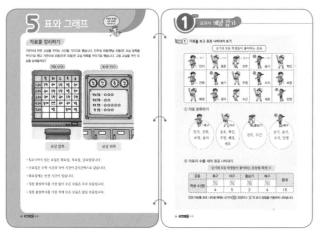

재미있는 수학 이야기로 단원에 대한 흥미를 높이고, 교과서 개념과 기본 문제를 학습합니다.

2 교과서 개념 PLAY

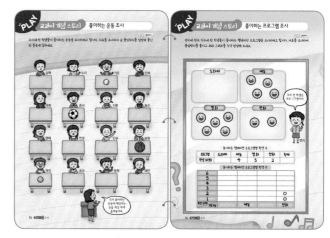

게임으로 개념을 학습하면서 집중력을 높여 쉽게 개념을 익히고 기본을 탄탄하게 만듭니다.

3 문제 풀이로 실력 & 자신감 UP!

한 단계 더 나아간 교과서와 익힘 문제로 개념을 완성하고, 다양한 문제 유형으로 응용력을 키웁니다.

4 서술형 문제 풀이

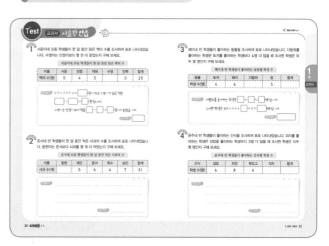

시험에 잘 나오는 서술형 문제 중심으로 단계별로 풀이하는 연습을 하여 서술하는 힘을 높여 줍니다.

2^{주차} 사고력 확장 학습

1 사고력 PLAY

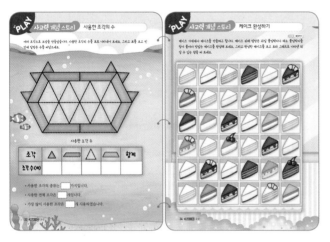

교과 심화 문제와 사고력 문제를 게임으로 쉽게 접근하여 어려운 문제에 대한 거부감을 낮추고 집중력을 높입니다.

2 교과 사고력 잡기

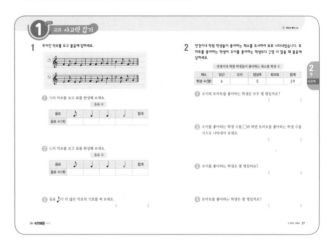

문제에 필요한 요소를 찾아 단계별로 해결하면서 문제 해결력을 키울수 있는 힘을 기릅니다.

3 교과 사고력 확장+완성

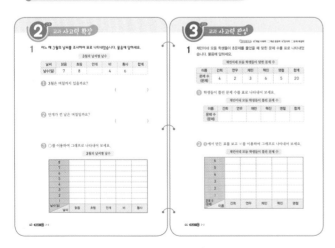

틀에서 벗어난 생각을 하여 문제를 해결하는 창의적 사고력을 기를 수있는 힘을 기릅니다.

4 종합평가 / 특강

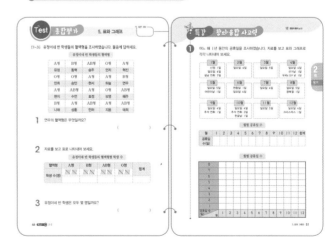

교과 학습과 사고력 학습을 얼마나 잘 이해하였는지 평가하여 배운내용을 정리합니다.

5 표와 그래프

단원과 관련된
자료 정리를
살펴보아요.

자료를 정리하기

가은이네 반은 교실을 꾸미는 시간을 가지기로 했습니다. 민주네 모둠(햇님 모둠)은 교실 앞쪽을 꾸미기로 했고 가은이네 모둠(우주 모둠)은 교실 뒤쪽을 꾸미기로 했습니다. 그럼 교실을 꾸민 모습을 살펴볼까요?

학급 시간표

	월	화	수	목	금
1교시	수학	국어	수학	겨울	국어
2교시	국어	수학	수학	겨울	국어
3교시	국어	수학	국어	수학	수학
4교시	창체	안전	국어	국어	겨울
5교시		겨울		창체	겨울

교실 앞쪽

게시판 꾸미기

칭 찬 통 장

햇님 모둠 : ☆☆☆
달님 모둠 : ☆☆
우주 모둠 : ☆☆☆☆☆
별 모둠 : ☆☆☆

교실 뒤쪽

- 5교시까지 있는 요일은 화요일, 목요일, 금요일입니다.

- 수요일은 수학 시간과 국어 시간이 2시간씩으로 같습니다.

- 화요일에는 안전 시간이 있습니다.

- 칭찬 붙임딱지를 가장 많이 모은 모둠은 우주 모둠입니다.

- 칭찬 붙임딱지를 가장 적게 모은 모둠은 달님 모둠입니다.

💡 종혁이는 집에 있는 과일을 식탁 위에 늘어놓아 보았습니다. 집에 있는 과일 중 가장 많은 것은 무엇인지 구해 보세요.

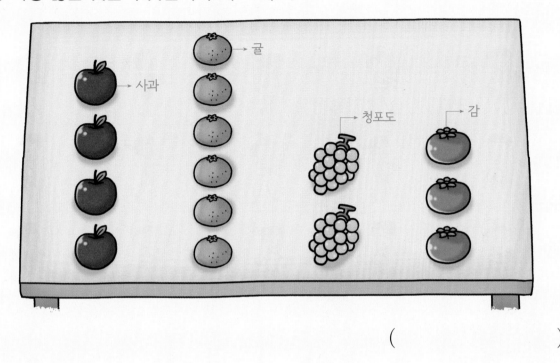

(   )

💡 학교 칠판의 모습입니다. 하트 붙임딱지를 이용해서 학생들이 현장 체험 학습 장소로 가고 싶은 곳을 고르는 모습을 꾸며 보세요.

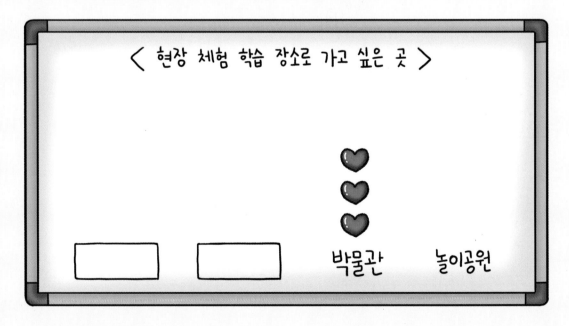

개념 **1** **자료를 보고 표로 나타내어 보기**

승기네 모둠 학생들이 좋아하는 운동

① 자료 분류하기

축구	야구	줄넘기	배구
민지, 건희, 보영, 윤아	동호, 혁진, 주영, 혜경, 세호	진주, 수근	승기, 슬기, 수지, 민영

② 자료의 수를 세어 표로 나타내기

승기네 모둠 학생들이 좋아하는 운동별 학생 수

운동	축구	야구	줄넘기	배구	합계
학생 수(명)	4	5	2	4	15

참고 자료를 표로 나타낼 때에는 산가지(////) 모양이나 '正'의 표시 방법을 이용하여 나타냅니다.

개념 확인 문제

[1-1~1-3] 서연이네 반 학생들이 좋아하는 색깔을 조사하였습니다. 물음에 답하세요.

서연이네 반 학생들이 좋아하는 색깔

서연	민준	영아	혜미	동진
영진	준수	리라	호진	수정
은호	재석	호동	민아	지우

1-1 조사한 자료를 보고 학생들의 이름을 써 보세요.

1-2 조사한 자료를 보고 표로 나타내어 보세요.

서연이네 반 학생들이 좋아하는 색깔별 학생 수

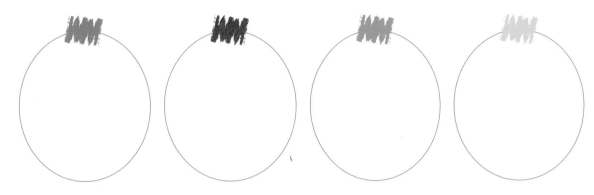

색깔					합계
학생 수(명)					

1-3 서연이네 반 학생은 모두 몇 명일까요?

( )

개념 2 자료를 조사하여 표로 나타내어 보기

• 자료를 조사하여 표로 나타내는 방법

① 조사할 자료 정하기

모둠 학생들이 좋아하는 과목 조사하기

② 조사하는 방법 생각하기

┌ 친구들에게 직접 물어 봅니다.

├ 종이에 적어서 모읍니다.

└ 손을 들어 그 수를 셉니다.

③ 자료를 조사하기

재형이네 반 학생들이 좋아하는 과목

이름	과목	이름	과목	이름	과목	이름	과목
재형	수학	재범	수학	가은	국어	정표	창·체
수지	국어	경민	겨울	민재	수학	남경	수학
성훈	겨울	미영	국어	종선	창·체	원석	수학
민혁	창·체	상혁	수학	영애	수학	연경	국어

④ 조사한 자료를 표로 나타내기

재형이네 반 학생들이 좋아하는 과목별 학생 수

과목	수학	국어	겨울	창·체	합계
학생 수(명)	7	4	2	3	16

• 자료를 표로 정리하면 좋은 점

① 좋아하는 과목별로 학생 수를 한눈에 알아보기 쉽습니다.

② 표에서 전체 학생 수를 쉽게 알 수 있습니다.

[2-1~2-3] 준희네 반 학생들이 좋아하는 계절을 조사하였습니다. 물음에 답하세요.

준희네 반 학생들이 좋아하는 계절

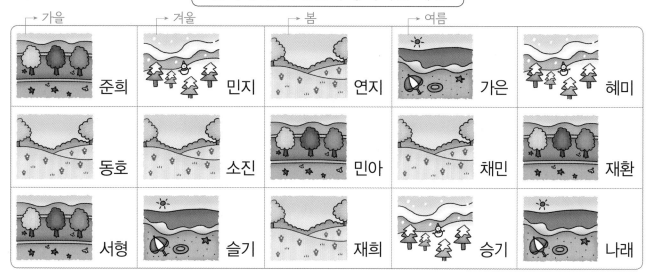

2-1 조사한 자료를 보고 표로 나타내어 보세요.

준희네 반 학생들이 좋아하는 계절별 학생 수

계절	봄	여름	가을	겨울	합계
학생 수(명)	〳〳〳	〳〳〳	〳〳〳	〳〳〳	

2-2 민아가 좋아하는 계절은 무엇일까요?

( )

2-3 조사한 자료와 표 중 좋아하는 계절별 학생 수를 알아보기 편리한 것은 무엇일까요?

( )

개념 3 그래프로 나타내어 보기

보영이네 반 학생들이 좋아하는 동물

강아지	고양이	햄스터	토끼		
보영	민준	유빈	초희	영준	다빈
민성	도연	지민	현서	태윤	혁주
승원	채윤	시현	다빈	현우	수인

보영이네 반 학생들이 좋아하는 동물별 학생 수

학생 수 (명) \ 동물	강아지	고양이	햄스터	토끼
6	○			
5	○		○	
4	○	○	○	
3	○	○	○	○
2	○	○	○	○
1	○	○	○	○

⇨ 보영이네 반에서 가장 많은 학생이 좋아하는 동물을 한눈에 알 수 있습니다.

- 그래프 그리는 순서
 ① 가로와 세로에 어떤 것을 나타낼지 정합니다.
 ② 가로와 세로를 각각 몇 칸으로 할지 정합니다.
 ③ 그래프에 ○, ×, / 중 하나를 선택하여 대상을 나타냅니다.
 ④ 그래프의 제목을 씁니다.

개념 확인 문제

[3-1~3-2] 나래네 반 학생들이 좋아하는 간식을 조사하였습니다. 물음에 답하세요.

나래네 반 학생들이 좋아하는 간식

3-1 조사한 자료를 보고 표로 나타내어 보세요.

나래네 반 학생들이 좋아하는 간식별 학생 수

간식	김밥	만두	라면	떡볶이	합계
학생 수(명)					

3-2 조사한 자료를 보고 ○를 이용하여 그래프로 나타내어 보세요.

나래네 반 학생들이 좋아하는 간식별 학생 수

6				
5				
4				
3				
2				
1				
학생 수(명) \ 간식	김밥	만두	라면	떡볶이

개념 **4** **표와 그래프의 내용 알아보기**

• 표의 내용 알아보기

민서네 반 학생들이 좋아하는 과일별 학생 수

과일	사과	배	바나나	귤	합계
학생 수(명)	5	6	3	4	18

① 민서네 반 학생은 모두 18명입니다.

② 바나나를 좋아하는 학생은 3명입니다.

③ 배를 좋아하는 학생이 6명으로 가장 많습니다.

• 그래프의 내용 알아보기

민서네 반 학생들이 좋아하는 과일별 학생 수

6		×		
5	×	×		
4	×	×		×
3	×	×	×	×
2	×	×	×	×
1	×	×	×	×
학생 수(명) \ 과일	사과	배	바나나	귤

① 가장 많은 학생이 좋아하는 과일은 배입니다.

② 사과를 좋아하는 학생은 귤을 좋아하는 학생보다 많습니다.

개념 **5** **표와 그래프의 편리한 점**

표	• 조사한 자료별 수를 알기 쉽습니다. • 조사한 자료의 전체 수를 알아보기 편리합니다.
그래프	• 조사한 자료별 수를 한눈에 비교하기 쉽습니다. • 가장 많은 것, 가장 적은 것을 한눈에 알아보기 편리합니다.

개념 확인 문제

[4-1~5] 윤아네 반 학생들의 가족 수를 조사하여 표와 그래프로 나타내었습니다. 물음에 답하세요.

윤아네 반 학생들의 가족 수별 학생 수

가족 수	2명	3명	4명	5명	합계
학생 수(명)	2	6	5	3	16

윤아네 반 학생들의 가족 수별 학생 수

학생 수(명) / 가족 수	2명	3명	4명	5명
6		○		
5		○	○	
4		○	○	
3		○	○	○
2	○	○	○	○
1	○	○	○	○

4-1 윤아네 반 학생은 모두 몇 명일까요?

(   )

4-2 가족 수가 4명인 학생은 몇 명일까요?

(   )

5 가장 많은 학생들의 가족 수를 한눈에 알아보기 편리한 것은 표와 그래프 중 무엇일까요?

(   )

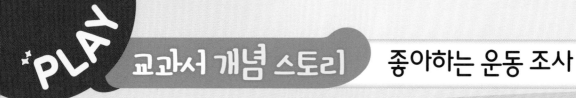

준비물 붙임딱지

수지네 반 학생들이 좋아하는 운동을 조사하려고 합니다. 자료를 조사하여 공 붙임딱지를 알맞게 붙인 뒤 물음에 답하세요.

(1) 조사한 자료를 보고 공 붙임딱지를 붙인 뒤 학생들의 이름을 써 보세요.

붙임딱지	붙임딱지	붙임딱지	붙임딱지

(2) 조사한 자료를 보고 표로 나타내어 보세요.

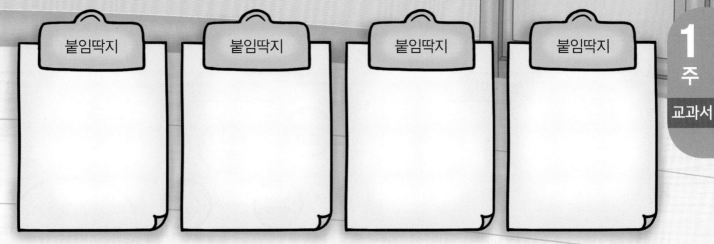

수지네 반 학생들이 좋아하는 운동별 학생 수

운동	붙임딱지	붙임딱지	붙임딱지	붙임딱지	합계
학생 수 (명)	///// /////	///// /////	///// /////	///// /////	

(3) 표를 보고 알 수 있는 사실을 써 보세요.

_____

_____

_____

준비물 붙임딱지

연지네 반과 민수네 반 학생들이 좋아하는 텔레비전 프로그램을 조사하려고 합니다. 자료를 조사하여 붙임딱지를 붙이고 표와 그래프를 각각 완성해 보세요.

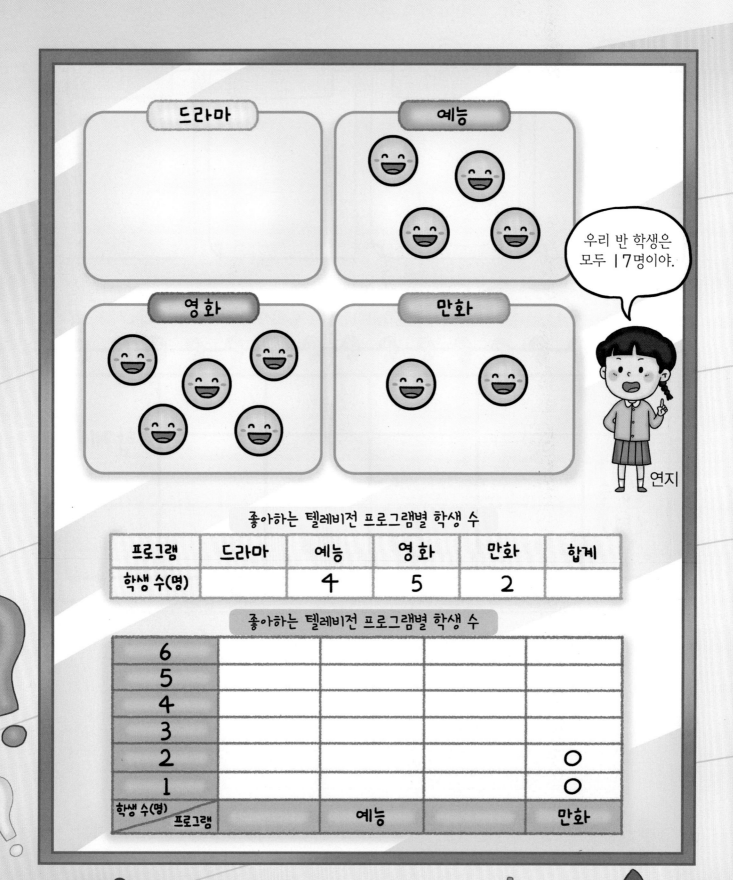

우리 반 학생은 모두 17명이야.

연지

좋아하는 텔레비전 프로그램별 학생 수

프로그램	드라마	예능	영화	만화	합계
학생 수(명)		4	5	2	

좋아하는 텔레비전 프로그램별 학생 수

6				
5				
4				
3				
2				○
1				○
학생 수(명) / 프로그램		예능		만화

드라마

예능

영화

만화

우리 반 학생은 모두 19명이야.

민수

좋아하는 텔레비전 프로그램별 학생 수

프로그램	드라마	예능	영화	만화	합계
학생 수(명)			3		

좋아하는 텔레비전 프로그램별 학생 수

영화	×	×	×			
프로그램 / 학생 수(명)	1	2	3		5	

개념 1 자료를 보고 표로 나타내기

[01~02] 나영이네 모둠 학생들이 가 보고 싶은 나라를 조사하였습니다. 물음에 답하세요.

나영이네 모둠 학생들이 가 보고 싶은 나라

이름	나라	이름	나라	이름	나라
나영	미국	연지	프랑스	슬기	프랑스
민정	중국	지호	미국	채윤	미국
경은	프랑스	혜선	프랑스	민수	중국

01 자료를 보고 표로 나타내어 보세요.

나영이네 모둠 학생들이 가 보고 싶은 나라별 학생 수

나라	미국	중국	프랑스	합계
학생 수(명)				

02 조사한 학생은 모두 몇 명일까요?

( )

03 자료를 조사하여 표로 나타내는 순서를 기호로 써 보세요.

ㄱ 조사한 자료를 보고 표로 나타냅니다.
ㄴ 어떤 내용을 어떤 방법으로 나타낼지 정합니다.
ㄷ 정한 내용과 방법으로 자료를 조사합니다.

( )

1
주

교과서

개념2 **그래프로 나타내기**

[04~05] 진주네 반 학생들이 좋아하는 우유 맛을 조사하였습니다. 물음에 답하세요.

진주네 반 학생들이 좋아하는 우유 맛

초콜릿 맛	딸기 맛	바나나 맛	커피 맛	딸기 맛
바나나 맛	커피 맛	딸기 맛	초콜릿 맛	바나나 맛
딸기 맛	바나나 맛	커피 맛	바나나 맛	딸기 맛
커피 맛	초콜릿 맛	딸기 맛	바나나 맛	딸기 맛

04 그래프로 나타낼 때 그래프의 가로와 세로에는 각각 어떤 것을 나타내는 것이 좋을까요?

가로 (   ), 세로 (   )

05 ○, ×, / 중 하나를 이용하여 그래프로 나타내어 보세요.

진주네 반 학생들이 좋아하는 우유 맛별 학생 수

학생 수 (명) / 우유 맛	초콜릿 맛	딸기 맛	바나나 맛	커피 맛
7				
6				
5				
4				
3				
2				
1				

개념3 **표의 내용 알아보기**

[06~09] 동진이네 반 학생들의 장래 희망을 조사하여 표로 나타내었습니다. 물음에 답하세요.

동진이네 반 학생들의 장래 희망별 학생 수

장래 희망	연예인	의사	소방관	선생님	합계
학생 수(명)	7	8	5	6	

06 동진이네 반 학생들의 장래 희망 종류는 모두 몇 가지일까요?

( )

07 선생님이 되고 싶은 학생은 몇 명일까요?

( )

08 가장 많은 학생들의 장래 희망은 무엇일까요?

( )

09 동진이네 반 학생은 모두 몇 명일까요?

( )

개념 4 그래프의 내용 알아보기

[10~12] 수미네 반 학생들이 좋아하는 곤충을 조사하여 그래프로 나타내었습니다.
물음에 답하세요.

수미네 반 학생들이 좋아하는 곤충별 학생 수

학생 수 (명) \ 곤충	잠자리	무당벌레	장수풍뎅이	사마귀
6		○		
5	○	○	○	
4	○	○	○	
3	○	○	○	○
2	○	○	○	○
1	○	○	○	○

10 그래프의 가로와 세로에 나타낸 것은 각각 무엇일까요?

가로 (   ), 세로 (   )

11 가장 많은 학생이 좋아하는 곤충은 무엇이고, 몇 명의 학생이 좋아할까요?

(   ), (   )

12 좋아하는 학생 수가 같은 곤충은 무엇과 무엇일까요?

(   )와 (   )

개념5 표와 그래프 비교하기

[13~14] 민수네 반 학생들이 받고 싶은 선물을 조사하여 표와 그래프로 나타내었습니다. 물음에 답하세요.

민수네 반 학생들이 받고 싶은 선물별 학생 수

선물	인형	게임기	옷	학용품	합계
학생 수(명)	4	7	5	6	22

민수네 반 학생들이 받고 싶은 선물별 학생 수

학생 수 (명) \ 선물	인형	게임기	옷	학용품
7		○		
6		○		○
5		○	○	○
4	○	○	○	○
3	○	○	○	○
2	○	○	○	○
1	○	○	○	○

13 조사한 전체 학생 수를 알아보기 편리한 것은 표와 그래프 중 어느 것일까요?

(   )

14 가장 많은 학생이 받고 싶은 선물을 한눈에 알아보기 편리한 것은 표와 그래프 중 어느 것일까요?

(   )

개념 6 표와 그래프로 나타내기

[15~16] 민호네 반 학생들이 좋아하는 음료수를 조사하였습니다. 물음에 답하세요.

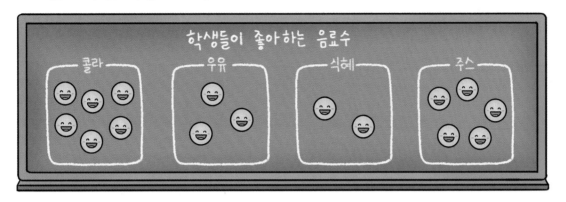

15 조사한 자료를 보고 표로 나타내어 보세요.

민호네 반 학생들이 좋아하는 음료수별 학생 수

음료수	콜라	우유	식혜	주스	합계
학생 수(명)					

16 ○를 이용하여 그래프로 나타내어 보세요.

민호네 반 학생들이 좋아하는 음료수별 학생 수

학생 수 (명) / 음료수	콜라	우유	식혜	주스
6				
5				
4				
3				
2				
1				

⭐ 자료를 보고 표로 나타내기

1 연우네 모둠 학생들이 고리 던지기를 하여 들어가면 ○표, 들어가지 않으면 ×표를 하였습니다. 자료를 보고 학생들이 고리 던지기를 하여 고리가 들어간 횟수를 표로 나타내어 보세요.

연우네 모둠 학생들의 고리 던지기 결과

이름＼횟수(번)	1	2	3	4	5	6
연우	○	×	○	○	×	○
채민	○	○	×	○	×	×
준희	×	○	×	×	○	×

연우네 모둠 학생별 고리가 들어간 횟수

이름	연우	채민	준희	합계
횟수(번)				

개념 피드백 고리가 들어간 횟수는 ○의 수를 세고 고리가 들어가지 않은 횟수는 ×의 수를 세어 표로 나타냅니다.

1-1 위 **1**의 연우네 모둠 학생들의 고리 던지기 결과를 보고 학생들이 고리 던지기를 하여 고리가 들어가지 않은 횟수를 표로 나타내어 보세요.

연우네 모둠 학생별 고리가 들어가지 않은 횟수

이름	연우	채민	준희	합계
횟수(번)				

★ 전체 수 보고 표 완성하기

2 민지네 반 학생들이 배우고 싶은 운동을 조사하여 표로 나타내었습니다. 표를 완성해 보세요.

민지네 반 학생들이 배우고 싶은 운동별 학생 수

운동	권투	태권도	수영	합기도	합계
학생 수(명)	7	4		5	19

개념 피드백 주어진 자료별 학생 수를 모두 더하면 합계와 같습니다.

2-1 종민이네 반 학생들이 가 보고 싶은 장소를 조사하여 표로 나타내었습니다. 표를 완성해 보세요.

종민이네 반 학생들이 가 보고 싶은 장소별 학생 수

장소	놀이공원	박물관	동물원	전시회장	합계
학생 수(명)		3	7	2	20

2-2 수영이네 반 학생들이 한 달 동안 읽은 책 수를 조사하여 표로 나타내었습니다. 표를 완성해 보세요.

수영이네 반 학생들이 한 달 동안 읽은 책 수별 학생 수

책 수	0권	1권	2권	3권	합계
학생 수(명)	6	9		4	25

★ 표와 그래프 완성하기

3 수영이네 모둠 학생들이 필요한 학용품을 조사하여 표와 그래프로 나타내었습니다. 표와 그래프를 각각 완성해 보세요.

수영이네 모둠 학생들이 필요한 학용품별 학생 수

학용품	연필	지우개	풀	자	합계
학생 수(명)	2		3		

수영이네 모둠 학생들이 필요한 학용품별 학생 수

3		○		
2		○		
1		○		○
학생 수(명) / 학용품	연필	지우개	풀	자

개념 피드백 표에서 해당 자료의 빈칸에 알맞은 수는 그래프에서 ○의 수와 같고, 그래프에서 해당 자료의 ○의 수는 표의 수만큼 그립니다.

3-1 명철이네 모둠 학생들이 좋아하는 과목을 조사하여 표와 그래프로 나타내었습니다. 표와 그래프를 각각 완성해 보세요.

명철이네 모둠 학생들이 좋아하는 과목별 학생 수

과목	국어	수학	안전	창·체	합계
학생 수(명)			1	3	10

명철이네 모둠 학생들이 좋아하는 과목별 학생 수

3	○			○
2	○			○
1	○		○	○
학생 수(명) / 과목	국어	수학	안전	창·체

★ 그래프의 내용 알아보기

4 준수네 반 학생들이 좋아하는 색깔을 조사하여 그래프로 나타내었습니다. 가장 많은 학생이 좋아하는 색깔의 학생 수는 가장 적은 학생이 좋아하는 색깔의 학생 수보다 몇 명 더 많을까요?

준수네 반 학생들이 좋아하는 색깔별 학생 수

빨간색	/	/	/	/	/	/	/	/
파란색	/	/	/					
초록색	/	/	/	/				
노란색	/	/	/	/	/	/		
색깔 학생 수(명)	1	2	3	4	5	6	7	8

답 _____

개념 피드백
• 그래프의 내용 알아보기

그래프에서 /의 수를 세어 각 자료별 학생 수를 구합니다.

4-1 위 **4**의 그래프에서 노란색을 좋아하는 학생은 파란색을 좋아하는 학생보다 몇 명 더 많을까요?

(   )

4-2 위 **4**의 그래프에서 노란색을 좋아하는 학생은 빨간색을 좋아하는 학생보다 몇 명 더 적을까요?

(   )

★ 자료와 표의 수 비교하기

5 동백이네 모둠 학생들이 배우고 싶은 악기를 조사하였습니다. 승주가 배우고 싶은 악기는 무엇일까요?

동백이네 모둠 학생들이 배우고 싶은 악기

이름	악기	이름	악기	이름	악기
준수	피아노	동백	오카리나	가은	바이올린
혜숭	바이올린	보미	오카리나	승주	
민수	오카리나	규호	피아노	건희	오카리나

동백이네 모둠 학생들이 배우고 싶은 악기별 학생 수

악기	피아노	바이올린	오카리나	합계
학생 수(명)	3	2	4	9

답 _____

개념 피드백
• 자료를 보고 표로 나타낼 때에는 산가지(////)나 '正'의 표시 방법을 이용합니다.
• 주어진 자료의 수를 모두 더하면 합계와 같습니다

5-1 혜정이네 모둠 학생들이 하루 동안 컴퓨터를 한 시간을 조사하였습니다. 리라는 컴퓨터를 몇 시간 했을까요?

혜정이네 모둠 학생들이 하루 동안 컴퓨터를 한 시간

이름	시간	이름	시간	이름	시간
슬기	1시간	동호	3시간	혜정	1시간
현지	2시간	리라		예원	1시간
주희	3시간	서연	1시간	채민	3시간

혜정이네 모둠 학생들이 하루 동안 컴퓨터를 한 시간별 학생 수

시간	1시간	2시간	3시간	합계
학생 수(명)	4	1	4	9

( )

★ **학생 수의 차 알아보기**

6 영호네 반 학생들이 좋아하는 떡을 조사하여 표로 나타내었습니다. 인절미를 좋아하는 학생은 백설기를 좋아하는 학생보다 몇 명 더 많을까요?

영호네 반 학생들이 좋아하는 떡별 학생 수

떡	절편	백설기	가래떡	인절미	합계
학생 수(명)	3		4	7	19

답 _____

개념 피드백
• 자료의 수끼리의 차 구하기
주어진 자료의 수를 모두 더하면 합계와 같다는 것을 이용하여 구하려는 자료의 수를 알아봅니다.

6-1 헤미네 반 학생 20명이 좋아하는 꽃을 조사하여 그래프로 나타내었습니다. 장미를 좋아하는 학생은 카네이션을 좋아하는 학생보다 몇 명 더 많을까요?

헤미네 반 학생들이 좋아하는 꽃별 학생 수

학생 수(명) \ 꽃	장미	튤립	카네이션	백합
6	○			○
5	○	○		○
4	○	○		○
3	○	○		○
2	○	○		○
1	○	○		○

(   )

Test 교과서 **서술형 연습**

1 서윤이네 모둠 학생들이 한 달 동안 읽은 책의 수를 조사하여 표로 나타내었습니다. 수영이는 민정이보다 몇 권 더 읽었는지 구해 보세요.

서윤이네 모둠 학생들이 한 달 동안 읽은 책의 수

이름	서윤	민정	지애	수영	민혁	합계
책의 수(권)	5	4	5		3	25

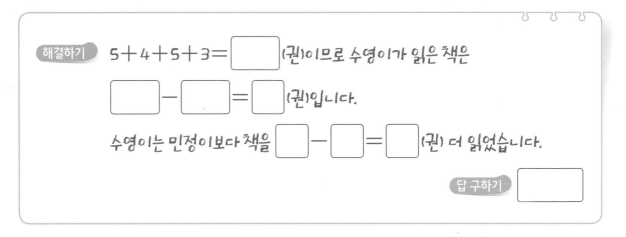

해결하기 $5+4+5+3=$ ☐ (권)이므로 수영이가 읽은 책은

☐ $-$ ☐ $=$ ☐ (권)입니다.

수영이는 민정이보다 책을 ☐ $-$ ☐ $=$ ☐ (권) 더 읽었습니다.

답 구하기 ☐

2 준서네 반 학생들이 한 달 동안 먹은 사과의 수를 조사하여 표로 나타내었습니다. 동현이는 준서보다 사과를 몇 개 더 먹었는지 구해 보세요.

준서네 모둠 학생들이 한 달 동안 먹은 사과의 수

이름	동현	재민	준서	희수	승민	합계
사과 수(개)		5	6	4	7	31

해결하기

답 구하기

3 혜미네 반 학생들이 좋아하는 동물을 조사하여 표로 나타내었습니다. 다람쥐를 좋아하는 학생은 토끼를 좋아하는 학생보다 4명 더 많을 때 조사한 학생은 모두 몇 명인지 구해 보세요.

혜미네 반 학생들이 좋아하는 동물별 학생 수

동물	토끼	돼지	다람쥐	양	합계
학생 수(명)	4	6		5	

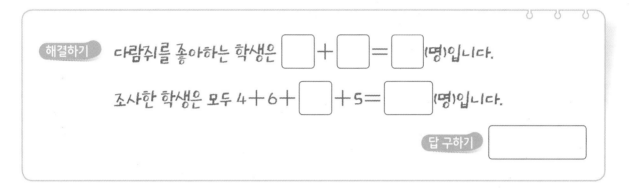

해결하기 다람쥐를 좋아하는 학생은 ☐＋☐＝☐(명)입니다.

조사한 학생은 모두 4＋6＋☐＋5＝☐(명)입니다.

답 구하기 ☐

4 윤주네 반 학생들이 좋아하는 간식을 조사하여 표로 나타내었습니다. 피자를 좋아하는 학생은 김밥을 좋아하는 학생보다 3명 더 많을 때 조사한 학생은 모두 몇 명인지 구해 보세요.

윤주네 반 학생들이 좋아하는 간식별 학생 수

간식	김밥	치킨	핫도그	피자	합계
학생 수(명)	6	8	4		

해결하기

답 구하기

여러 조각으로 모양을 만들었습니다. 사용한 조각의 수를 표로 나타내어 보세요. 그리고 표를 보고 빈 칸에 알맞은 수를 써넣으세요.

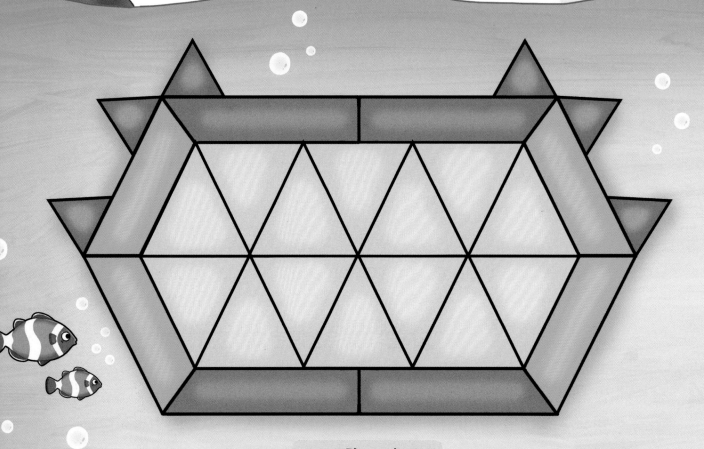

사용한 조각 수

조각	△	▱	△	⬭	합계
조각 수(개)					

- 사용한 조각의 종류는 [ ]가지입니다.

- 사용한 전체 조각은 [ ]개입니다.

- 가장 많이 사용한 조각은 [ ]개 사용하였습니다.

붙임딱지의 여러 조각으로 모양을 만들고 모양을 만드는 데 사용한 조각의 수를 표로 나타내어 보세요. 그리고 표를 보고 빈칸에 알맞은 수를 써넣으세요.

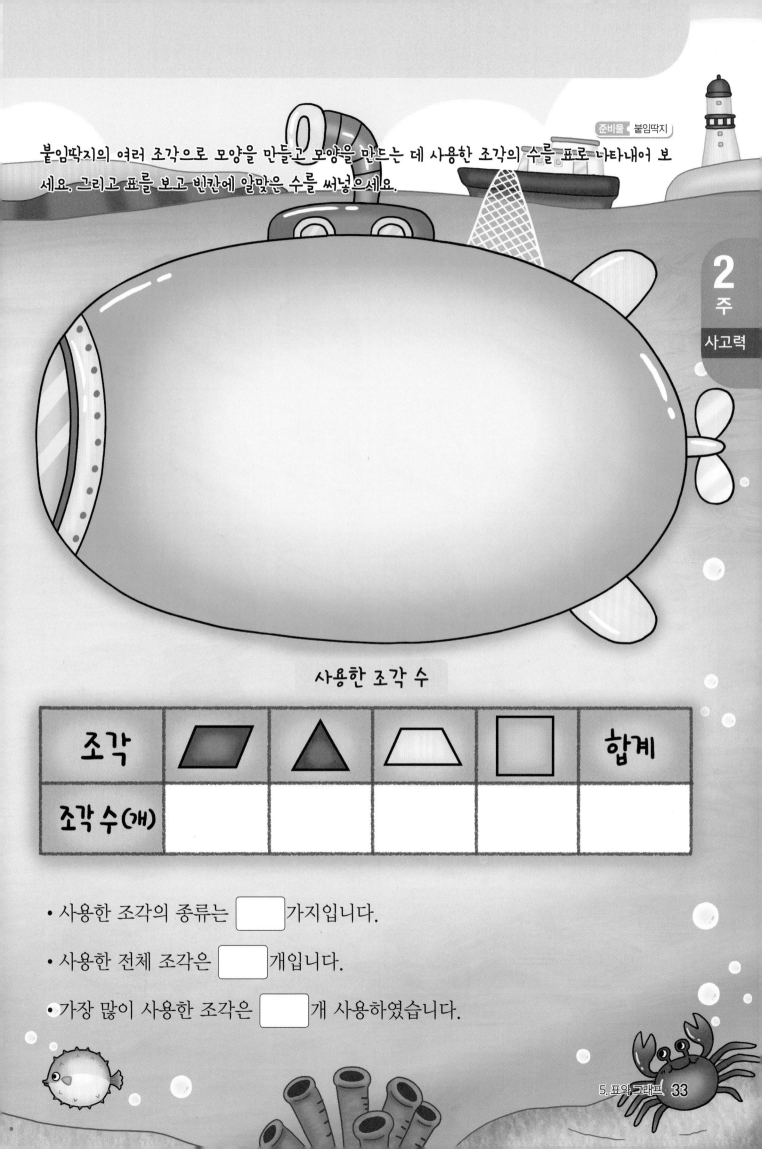

사용한 조각 수

조각					합계
조각 수(개)					

- 사용한 조각의 종류는 □ 가지입니다.

- 사용한 전체 조각은 □ 개입니다.

- 가장 많이 사용한 조각은 □ 개 사용하였습니다.

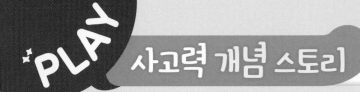

PLAY 사고력 개념 스토리 케이크 완성하기

준비물 붙임딱지

케이크 가게에서 케이크를 만들려고 합니다. 케이크 위에 알맞은 과일 붙임딱지나 채소 붙임딱지를 찾아 붙여서 맛있는 케이크를 완성해 보세요. 그리고 완성한 케이크를 보고 표와 그래프로 나타낸 뒤 알 수 있는 점을 써 보세요.

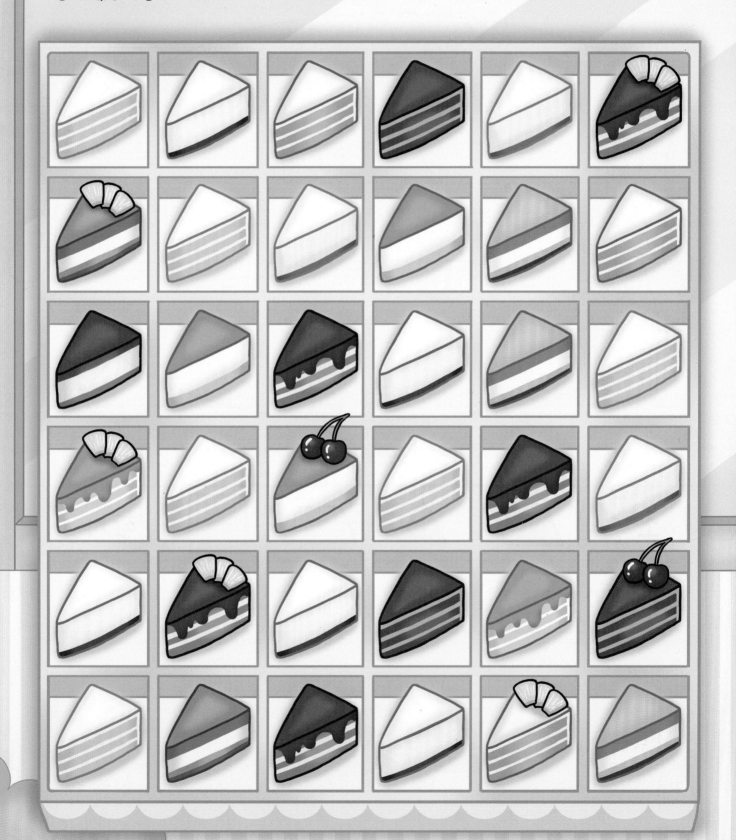

케이크를 만드는 데 사용한 과일이나 채소별 수

과일 (채소)	 🍓	 🥝	 🍍	 🍊	 🍒	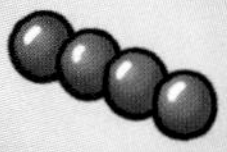 🫐	합계
수(개)			5		6		36

케이크를 만드는 데 사용한 과일이나 채소별 수

8						
7						
6						
5			O			
4			O			
3			O			
2			O			
1			O			
수(개) / 과일(채소)	딸기	키위	파인애플	오렌지	체리	포도

알 수 있는 점 _____

_____

_____

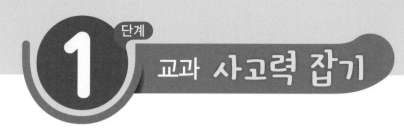

1 주어진 악보를 보고 물음에 답하세요.

1 ㉠의 악보를 보고 표를 완성해 보세요.

음표 수

음표	♪	♩	♩.	♩	합계
음표 수(개)					

2 ㉡의 악보를 보고 표를 완성해 보세요.

음표 수

음표	♪	♩	♩.	♩	합계
음표 수(개)					

3 음표 ♪가 더 많은 악보의 기호를 써 보세요.

( )

2 연경이네 학원 학생들이 좋아하는 채소를 조사하여 표로 나타내었습니다. 토마토를 좋아하는 학생이 오이를 좋아하는 학생보다 2명 더 많을 때 물음에 답하세요.

연경이네 학원 학생들이 좋아하는 채소별 학생 수

채소	당근	오이	양상추	토마토	합계
학생 수(명)	6		5		29

1 오이와 토마토를 좋아하는 학생은 모두 몇 명일까요?

( )

2 오이를 좋아하는 학생 수를 □라 하면 토마토를 좋아하는 학생 수를 식으로 나타내어 보세요.

( )

3 오이를 좋아하는 학생은 몇 명일까요?

( )

4 토마토를 좋아하는 학생은 몇 명일까요?

( )

3 규현이네 모둠과 호동이네 모둠 학생들이 ○× 문제를 풀어 맞힌 문제 수를 그래프로 나타내었습니다. 물음에 답하세요.

규현이네 모둠 학생별
○× 문제를 풀어 맞힌 문제 수

문제 수 (문제)	규현	지원	민호
5			○
4	○		○
3	○		○
2	○		○
1	○		○
이름	규현	지원	민호

호동이네 모둠 학생별
○× 문제를 풀어 맞힌 문제 수

문제 수 (문제)	피오	호동	수근
5	○		
4	○		
3	○		○
2	○	○	○
1	○	○	○
이름	피오	호동	수근

❶ 호동이네 모둠이 맞힌 문제는 모두 몇 문제일까요?

(   )

❷ 규현이네 모둠과 호동이네 모둠이 맞힌 문제의 수가 같을 때 지원이 는 몇 문제를 맞혔을까요?

(   )

❸ 피오는 지원이보다 몇 문제 더 맞혔을까요?

(   )

4 어느 해 | 2월 날씨를 조사하였습니다. 물음에 답하세요.

12월

일	월	화	수	목	금	토
		☃ 1	☀ 2	☀ 3	☂ 4	☁ 5
☂ 6	☀ 7	☂ 8	☁ 9	☂ 10	☁ 11	☃ 12
☁ 13	☂ 14	☀ 15	☀ 16	☃ 17	☂ 18	☀ 19
☀ 20	☁ 21	☃ 22	☂ 23	☂ 24	☁ 25	☁ 26
☂ 27	☁ 28	☂ 29	☃ 30	☃ 31		

☀ : 맑은 날   ☁ : 흐린 날   ☃ : 눈 온 날   ☂ : 비 온 날

① | 2월 날씨별 날수를 조사하여 표로 나타내어 보세요.

12월 날씨별 날수

날씨	☀	☁	☃	☂	합계
날수(일)					

② **①**의 표를 보고 ×를 이용하여 그래프로 나타내어 보세요.

12월 날씨별 날수

비 온 날										
눈 온 날										
흐린 날										
맑은 날										
날씨＼날수(일)	1	2	3	4	5	6	7	8	9	10

2 단계 교과 사고력 확장

1 어느 해 3월의 날씨를 조사하여 표로 나타내었습니다. 물음에 답하세요.

3월의 날씨별 날수

날씨	맑음	흐림	안개	비	황사	합계
날수(일)	7	8		4	6	

① 3월은 며칠까지 있을까요?

( )

② 안개가 낀 날은 며칠일까요?

( )

③ ○를 이용하여 그래프로 나타내어 보세요.

3월의 날씨별 날수

8					
7					
6					
5					
4					
3					
2					
1					
날수(일) / 날씨	맑음	흐림	안개	비	황사

2 책상에 있는 학용품을 보고 표와 그래프를 각각 완성해 보세요.

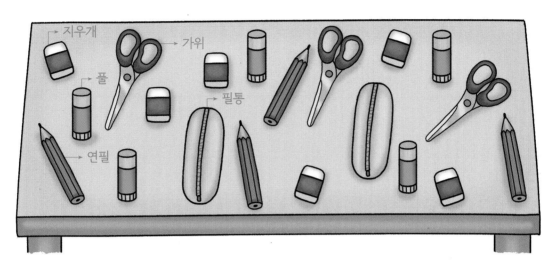

책상에 있는 학용품 수

학용품	연필	지우개	필통		풀	합계
수(개)						

책상에 있는 학용품 수

7				
6				
5				
4				
3				
2				
1				
수(개) 학용품	연필	지우개	필통	풀

3 보연이네 학교 2학년 1반과 2반 학생들이 좋아하는 운동을 조사하여 그래프로 나타내었습니다. 1반과 2반의 학생 수가 같을 때 물음에 답하세요.

1반 학생들이 좋아하는 운동별 학생 수

학생 수 (명) \ 운동	농구	스키	축구	야구
7			△	
6			△	
5		△	△	
4	△	△	△	
3	△	△	△	△
2	△	△	△	△
1	△	△	△	△

2반 학생들이 좋아하는 운동별 학생 수

학생 수 (명) \ 운동	농구	스키	축구	야구
7				×
6				×
5	×			×
4	×			×
3	×			×
2	×	×		×
1	×	×		×

① 2반에서 축구를 좋아하는 학생은 몇 명일까요?

( )

② 축구를 좋아하는 1반 학생은 축구를 좋아하는 2반 학생보다 몇 명 더 많을까요?

( )

③ 1반과 2반 학생들이 가장 좋아하는 운동은 무엇일까요?

( )

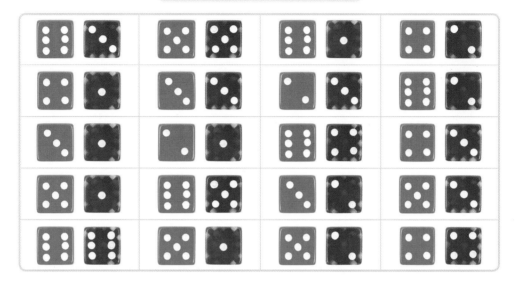

4 주사위 2개를 동시에 20번 굴려서 나온 눈입니다. 물음에 답하세요.

주사위를 굴려서 나온 눈

1 주사위를 굴려서 나온 눈의 차의 횟수를 표로 나타내어 보세요.

나온 눈의 차의 횟수

눈의 차	0	1	2	3	4	5	합계
횟수(번)							

2 **1**의 표를 보고 그래프로 나타내어 보세요.

나온 눈의 차의 횟수

횟수(번) \ 눈의 차	0	1	2	3	4	5
5						
4						
3						
2						
1						

1 채민이네 모둠 학생들이 8문제를 풀었을 때 맞힌 문제 수를 표로 나타내었습니다. 물음에 답하세요.

채민이네 모둠 학생들이 맞힌 문제 수

이름	건희	연우	채민	혁진	명철	합계
문제 수 (문제)	4	2	3	6	5	20

① 학생들이 틀린 문제 수를 표로 나타내어 보세요.

채민이네 모둠 학생들이 틀린 문제 수

이름	건희	연우	채민	혁진	명철	합계
문제 수 (문제)						

② ①에서 만든 표를 보고 ×를 이용하여 그래프로 나타내어 보세요.

채민이네 모둠 학생들이 틀린 문제 수

문제 수 (문제) \ 이름	건희	연우	채민	혁진	명철
6					
5					
4					
3					
2					
1					

정답과 풀이 p.11

평가 영역 ☐개념 이해력 ☑개념 응용력 ☐창의력 ☑문제 해결력

2 민지네 반 학생들이 한 달 동안 읽은 책의 수를 조사하여 그래프로 나타내었습니다. 물음에 답하세요.

민지네 반 학생들이 한 달 동안 읽은 책의 수

학생 수(명) \ 책 수	0권	1권	2권	3권
8		○		
7		○		
6	○	○		
5	○	○	○	
4	○	○	○	
3	○	○	○	○
2	○	○	○	○
1	○	○	○	○

책 읽기를 하면 문제 해결력과 사고력이 발달한대.

1 위의 그래프를 표로 나타내어 보세요.

민지네 반 학생들이 한 달 동안 읽은 책의 수

책 수	0권	1권	2권	3권	합계
학생 수(명)					

2 민지네 반 학생들이 읽은 책은 모두 몇 권인지 구해 보세요.

(   )

5. 표와 그래프

맞은 개수

[1~3] 유정이네 반 학생들의 혈액형을 조사하였습니다. 물음에 답하세요.

유정이네 반 학생들의 혈액형

A형	B형	AB형	O형	A형
유정	동혁	승주	민지	혁진
O형	O형	A형	A형	B형
민희	승민	현서	하늘	연우
A형	AB형	A형	O형	AB형
현지	수연	효정	보영	혜주
B형	A형	AB형	A형	AB형
나래	성훈	민하	지용	태희

1 연우의 혈액형은 무엇일까요?

(   )

2 자료를 보고 표로 나타내어 보세요.

유정이네 반 학생들의 혈액형별 학생 수

혈액형	A형	B형	AB형	O형	합계
학생 수(명)					

3 유정이네 반 학생은 모두 몇 명일까요?

(   )

[4~6] 수연이네 반 학생들이 타고 싶은 교통수단을 조사하여 표로 나타내었습니다. 물음에 답하세요.

수연이네 반 학생들이 타고 싶은 교통수단별 학생 수

교통수단	버스	배	비행기	기차	합계
학생 수(명)	2	4	7	5	18

4 그래프로 나타낼 때 가로와 세로에는 각각 어떤 것을 나타내는 것이 좋을까요?

가로 (   ), 세로 (   )

5 표를 보고 ○를 이용하여 그래프로 나타내어 보세요.

수연이네 반 학생들이 타고 싶은 교통수단별 학생 수

학생 수 (명) \ 교통수단	버스	배	비행기	기차
7				
6				
5				
4				
3				
2				
1				

6 가장 많은 학생이 타고 싶은 교통수단은 무엇이고 몇 명일까요?

(   ), (   )

[7~8] 보미네 반 학생들이 좋아하는 음식을 조사하여 표로 나타내었습니다. 물음에 답하세요.

보미네 반 학생들이 좋아하는 음식별 학생 수

음식	갈비찜	잡채	김치찌개	계란찜	합계
학생 수(명)	8	5		6	26

7 학생들이 좋아하는 음식 종류는 몇 가지일까요?

(   )

8 김치찌개를 좋아하는 학생은 몇 명일까요?

(   )

9 정우네 반 학생들이 좋아하는 과일을 조사하여 표로 나타내었습니다. 오렌지를 좋아하는 학생은 포도를 좋아하는 학생보다 5명 더 많을 때 조사한 학생은 모두 몇 명인지 구해 보세요.

정우네 반 학생들이 좋아하는 과일별 학생 수

과일	사과	오렌지	복숭아	포도	합계
학생 수(명)	6		5	4	

(   )

[10~11] 동건이네 반 학생들이 좋아하는 아이스크림의 맛을 조사하여 표로 나타내었습니다. 물음에 답하세요.

동건이네 반 학생들이 좋아하는 아이스크림 맛별 학생 수

아이스크림 맛	초콜릿 맛	딸기 맛	바닐라 맛	멜론 맛	합계
학생 수(명)	9	6		3	22

10 바닐라 맛을 좋아하는 학생은 몇 명일까요?

( )

11 표를 보고 ×를 이용하여 그래프로 나타내어 보세요.

동건이네 반 학생들이 좋아하는 아이스크림 맛별 학생 수

학생 수 (명) / 아이스크림 맛	초콜릿 맛	딸기 맛	바닐라 맛	멜론 맛
9				
8				
7				
6				
5				
4				
3				
2				
1				

[12~13] 준영이네 반 학급 문고에 있는 종류별 책 수를 조사하여 표와 그래프로 나타내었습니다. 물음에 답하세요.

준영이네 반 학급 문고에 있는 종류별 책 수

종류	동화책	위인전	시집	과학책	합계
책 수(권)				4	18

준영이네 반 학급 문고에 있는 종류별 책 수

책 수(권) \ 종류	동화책	위인전	시집	과학책
6		△		
5		△		
4		△		
3		△	△	
2		△	△	
1		△	△	

12 표와 그래프를 각각 완성해 보세요.

13 학급 문고에 있는 동화책은 시집보다 몇 권 더 많을까요?

( )

1 어느 해 1년 동안의 공휴일을 조사하였습니다. 자료를 보고 표와 그래프로 각각 나타내어 보세요.

1월
신정: 1일
일요일: 4일
설날 연휴: 2일

2월
일요일: 4일

3월
일요일: 5일

4월
일요일: 4일
선거날: 1일
부처님 오신 날: 1일

5월
일요일: 5일
어린이날: 1일

6월
현충일: 1일
일요일: 4일

7월
일요일: 4일

8월
일요일: 5일
광복절: 1일

9월
일요일: 4일
추석 연휴: 1일

10월
일요일: 4일
추석 연휴: 3일
한글날: 1일

11월
일요일: 5일

12월
일요일: 4일
크리스마스: 1일

월별 공휴일 수

월	1	2	3	4	5	6	7	8	9	10	11	12	합계
공휴일 수(일)													

월별 공휴일 수

8												
7												
6												
5												
4												
3												
2												
1												
공휴일 수(일) 월	1	2	3	4	5	6	7	8	9	10	11	12

단원과 관련된
한국의 멋 문살을
살펴보아요.

한국의 멋 문살

문이란 고정된 건축물 중에서 유일하게 움직이는 것이에요. 안과 밖을 잇는 소통의 연결 고리이자
너머의 공간을 구분 짓는 경계이기도 해요.
그리하여 우리 조상들은 문살의 모양으로 건물의 성격을 나타내었고, 문살에 온 정성을 기울였어요.
그럼 다양한 짜임새의 문살에는 어떤 것들이 있는지 알아볼까요?

정자살 무늬

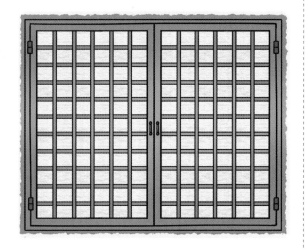

빗살 무늬

솟을 빗살 무늬

꽃살 무늬

규칙을 찾아 창문을 완성해 보세요.

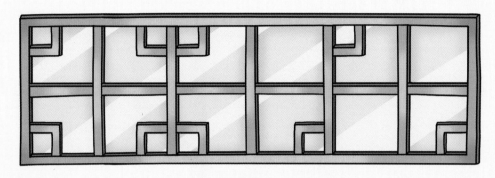

규칙을 만들어 창문을 완성해 보세요.

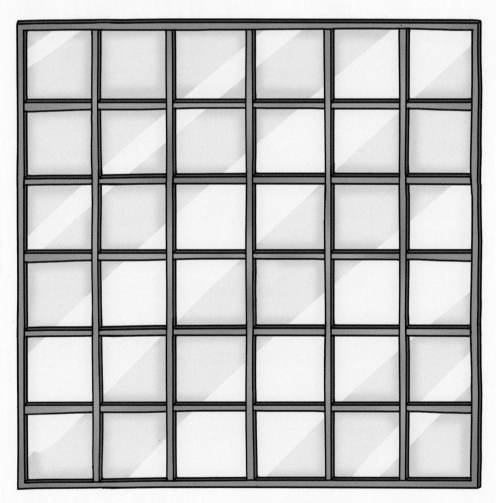

개념 1 덧셈표에서 규칙 찾기

+	0	1	2	3	4	5	6	7	8	9
0	0	1	2	3	4	5	6	7	8	9
1	1	2	3	4	5	6	7	8	9	10
2	2	3	4	5	6	7	8	9	10	11
3	3	4	5	6	7	8	9	10	11	12
4	4	5	6	7	8	9	10	11	12	13
5	5	6	7	8	9	10	11	12	13	14
6	6	7	8	9	10	11	12	13	14	15
7	7	8	9	10	11	12	13	14	15	16
8	8	9	10	11	12	13	14	15	16	17
9	9	10	11	12	13	14	15	16	17	18

+1 +1 +1 +1 +1 +1 +1 +1 +1
+1 +1 +1 +1 +1 +1 +1 +1 +1

- ▧으로 칠해진 수는 아래쪽으로 내려갈수록 1씩 커지는 규칙이 있습니다.
- ▧으로 칠해진 수는 오른쪽으로 갈수록 1씩 커지는 규칙이 있습니다.
- ▧으로 칠해진 수는 ↘ 방향으로 갈수록 2씩 커지는 규칙이 있습니다.
- ▧으로 칠해진 수는 같은 수들이 있는 규칙이 있습니다.

같은 줄에서 아래쪽으로 내려갈수록, 오른쪽으로 갈수록 1씩 커지네.

같은 줄에서 위쪽으로 올라갈수록, 왼쪽으로 갈수록 1씩 작아지기도 해.

개념 확인 문제

1-1 덧셈표를 보고 □ 안에 알맞은 수를 써넣으세요.

+	1	2	3	4	5	6
1	2	3	4	5	6	7
2	3	4	5	6	7	8
3	4	5	6	7	8	9
4	5	6	7	8	9	10
5	6	7	8	9	10	11
6	7	8	9	10	11	12

(1) 같은 줄에서 오른쪽으로 갈수록 □ 씩 커지는 규칙이 있습니다.

(2) 같은 줄에서 아래쪽으로 내려갈수록 □ 씩 커지는 규칙이 있습니다.

1-2 덧셈표를 보고 물음에 답하세요.

+	2	4	6	8	10
2	4	6	8	10	12
4	6	8	10		14
6	8		12		
8	10		14	16	
10	12			18	20

(1) 빈칸에 알맞은 수를 써넣으세요.

(2) ▨ 으로 칠해진 수는 ↖ 방향으로 갈수록 몇씩 작아지는 규칙일까요?

(   )

개념 2 곱셈표에서 규칙 찾기

×	1	2	3	4	5	6	7	8	9
1	1	2	3	4	5	6	7	8	9
2	2	4	6	8	10	12	14	16	18
3	3	6	9	12	15	18	21	24	27
4	4	8	12	16	20	24	28	32	36
5	5	10	15	20	25	30	35	40	45
6	6	12	18	24	30	36	42	48	54
7	7	14	21	28	35	42	49	56	63
8	8	16	24	32	40	48	56	64	72
9	9	18	27	36	45	54	63	72	81

- ▨으로 칠해진 수는 오른쪽으로 갈수록 **3**씩 커지는 규칙이 있습니다.

- 점선을 따라 접었을 때 만나는 수는 서로 같습니다.

- ▨으로 칠해진 수는 아래쪽으로 내려갈수록 **6**씩 커지는 규칙이 있습니다.

- ▨으로 칠해진 수는 왼쪽으로 갈수록 **7**씩 작아지는 규칙이 있습니다.

- ▨으로 칠해진 수는 위쪽으로 올라갈수록 **2**씩 작아지는 규칙이 있습니다.

각 단의 수는 아래쪽으로 내려갈수록 단의 수만큼 커지네.

오른쪽으로도 갈수록 단의 수만큼 커져.

개념 확인 문제

2-1 곱셈표를 보고 물음에 답하세요.

×	1	2	3	4	5
1	1	2	3	4	5
2	2	4	6	8	10
3	3	6	9	12	15
4	4	8	12	16	20
5	5	10	15	20	25

(1) ▇▇으로 칠해진 수는 오른쪽으로 갈수록 몇씩 커지는 규칙이 있을까요?

(   )

(2) ▇▇으로 칠해진 수는 아래쪽으로 내려갈수록 몇씩 커지는 규칙이 있을까요?

(   )

2-2 곱셈표를 보고 물음에 답하세요.

×	2	4	6	8
2	4	8	12	
4		16		32
6	12		36	
8		32		64

(1) 빈칸에 알맞은 수를 써넣으세요.

(2) 알맞은 말에 ○표 하세요.

곱셈표에 있는 수들은 모두 (홀수 , 짝수)입니다.

개념 **3** 무늬에서 규칙 찾기

- 파란색, 빨간색, 초록색이 반복되는 규칙입니다.
- ↙ 방향으로 똑같은 색이 반복되고 있습니다.

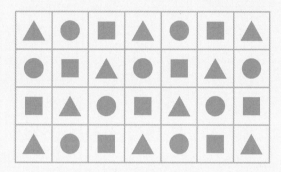

- ▲, ●, ■가 반복되는 규칙입니다.
- ↙ 방향으로 똑같은 모양이 반복되고 있습니다.

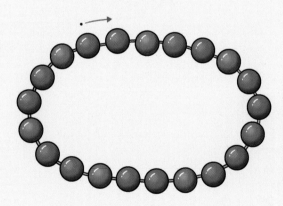

파란색 구슬 2개와 빨간색 구슬 1개가 반복되는 규칙입니다.

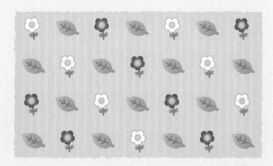

- 흰 꽃, 잎, 빨간 꽃, 잎이 반복됩니다.
- ↙ 방향으로 보면 잎이 같은 줄에 있는 규칙이 있습니다.

개념 확인 문제

3-1 규칙을 찾아 완성해 보세요.

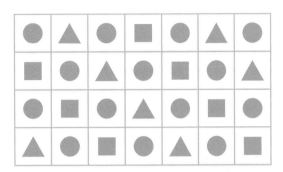

규칙 ●, ▲, ☐, ☐ 가 반복되는 규칙입니다.

3-2 규칙을 찾아 ☐ 안에 알맞은 모양을 그려 넣으세요.

(1)

(2)

3-3 규칙을 찾아 알맞게 색칠해 보세요.

(1)

(2)

개념 **4** 쌓은 모양에서 규칙 찾기

- 'ㄴ'자 모양으로 쌓는 규칙입니다.
- 쌓기나무가 오른쪽에 1개, 위쪽에 1개씩 늘어나는 규칙입니다.
- 전체적으로 쌓기나무가 2개씩 늘어나는 규칙입니다.

- 다음에 이어질 모양은 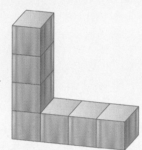 입니다.

개념 **5** 생활에서 규칙 찾기

3월

일	월	화	수	목	금	토
			1	2	3	4
5	6	7	8	9	10	11
12	13	14	15	16	17	18
19	20	21	22	23	24	25
26	27	28	29	30	31	

- 모든 요일은 7일마다 반복되는 규칙이 있습니다.
- 가로로 1씩 커지는 규칙이 있습니다.
- 세로로 7씩 커지는 규칙이 있습니다.

참고 생활 속에서 찾을 수 있는 규칙
- 계절이 봄, 여름, 가을, 겨울로 규칙적으로 변합니다.
- 터미널 버스 시간표에도 규칙이 있습니다.
- 경기장의 좌석 번호, 학교 사물함 번호에도 규칙이 있습니다.

개념 확인 문제

4-1 다음과 같은 모양으로 쌓기나무를 쌓았습니다. 쌓은 규칙을 완성해 보세요.

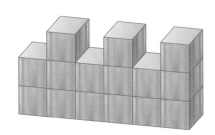

규칙 쌓기나무를 ☐층, ☐층이 반복되게 쌓았습니다.

4-2 규칙에 따라 쌓기나무를 쌓았습니다. ☐ 안에 알맞은 수를 써넣으세요.

(1) 쌓기나무가 ☐개씩 늘어나는 규칙입니다.

(2) 다음에 이어질 모양에 쌓을 쌓기나무는 모두 ☐개입니다.

5 달력을 보고 ☐ 안에 알맞은 수를 써넣으세요.

10월

일	월	화	수	목	금	토
				1	2	3
4	5	6	7	8	9	10
11	12	13	14	15	16	17
18	19	20	21	22	23	24
25	26	27	28	29	30	31

(1) 가로로 ☐씩 커지는 규칙이 있습니다.

(2) 모든 요일은 ☐일마다 반복되는 규칙이 있습니다.

가운데에 있는 퍼즐 나침반의 규칙에 알맞은 퍼즐 붙임딱지를 찾아 붙여 보세요.

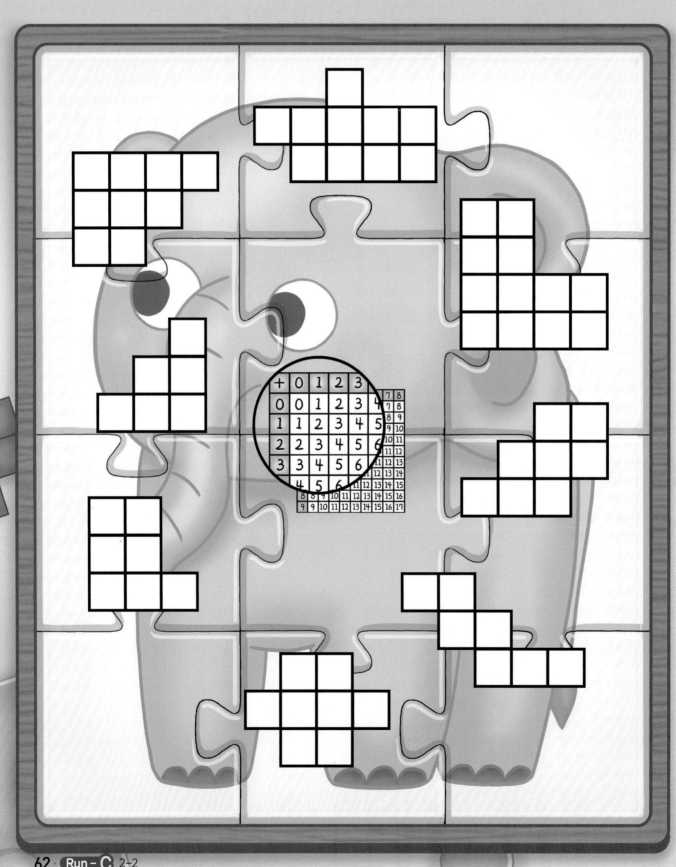

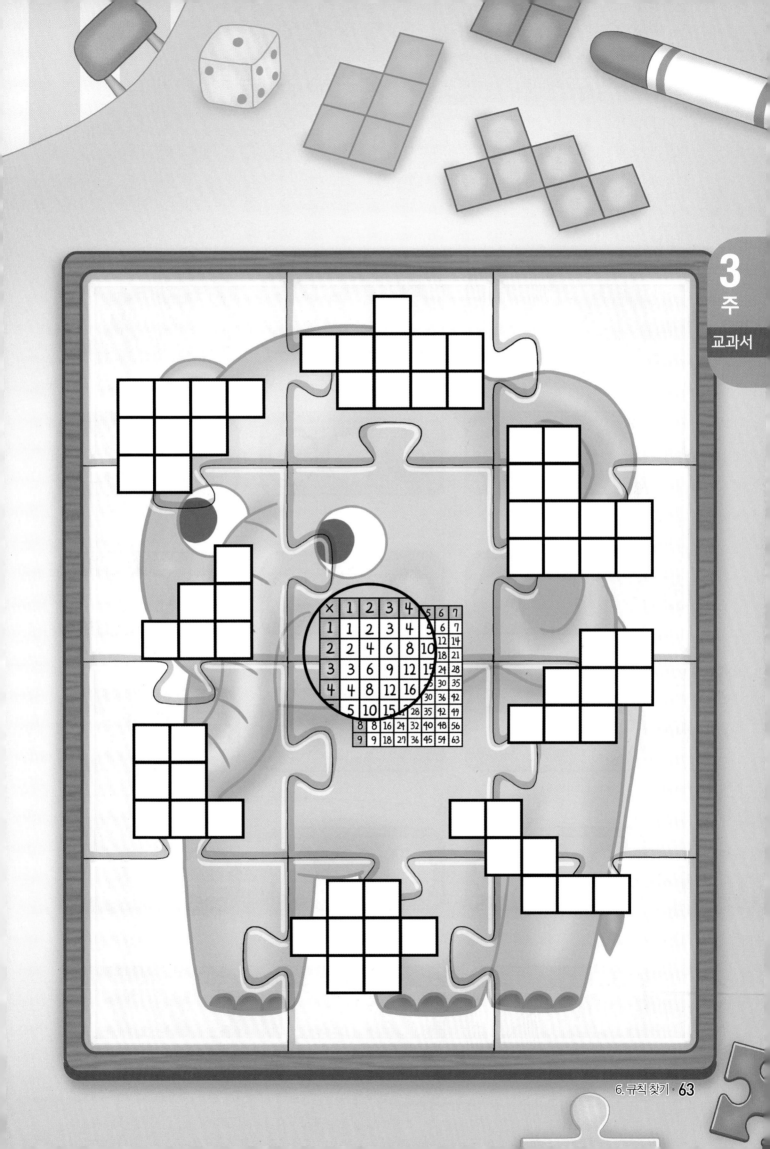

준비물 붙임딱지

색깔 규칙에 따라 공장에서 신호등을 만들고 있어요. 신호등에 있는 3가지 색깔의 순서가 맞도록 알맞은 신호등의 색깔 붙임딱지를 찾아 붙여 보세요.

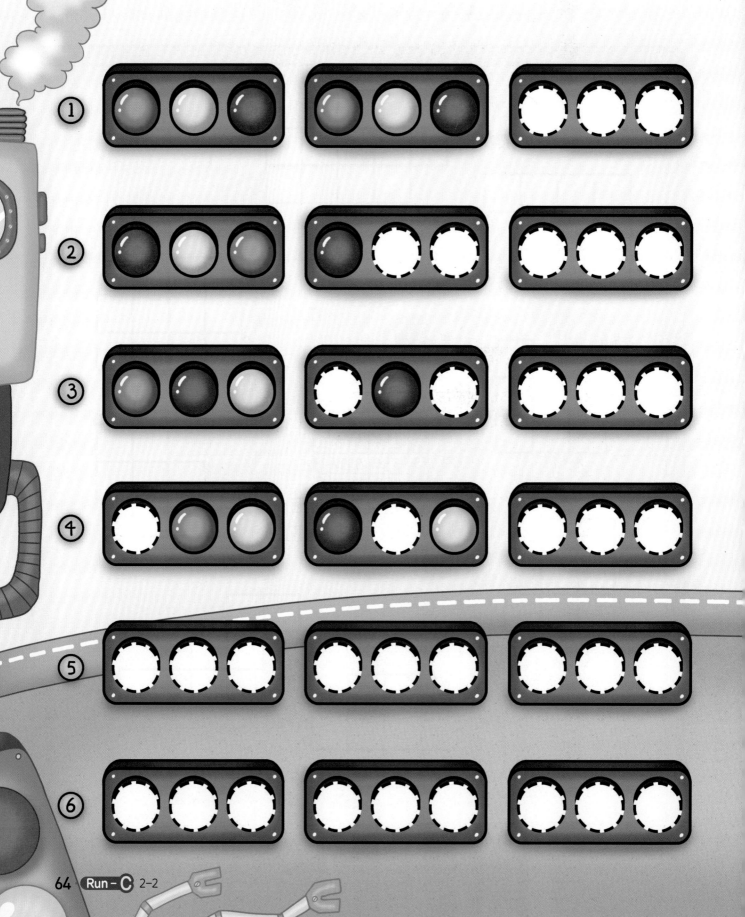

규칙에 따라 쌓기나무를 쌓았어요. 다음에 이어질 모양에 알맞은 쌓기나무 붙임딱지를 찾아 붙여 보세요.

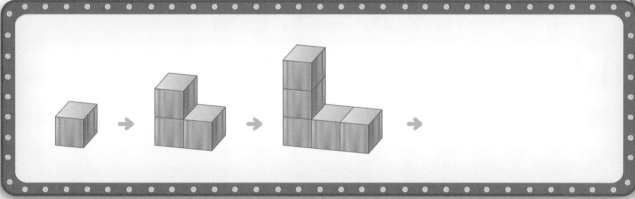

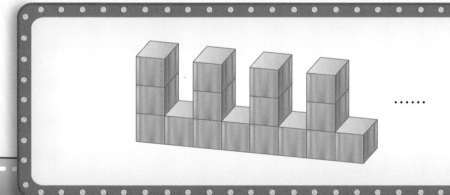

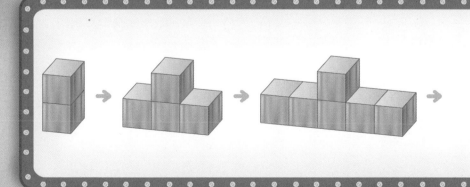

개념 1 덧셈표에서 규칙 찾기

[01~02] 덧셈표를 보고 물음에 답하세요.

+	0	2	4	6	8
0	0	2	4	6	
2		4			10
4	4		8		12
6		8		12	
8	8		12	14	16

01 빈칸에 알맞은 수를 써넣으세요.

02 알맞은 것에 ○표 하세요.

(1) ▬▬으로 칠해진 수는 ↘ 방향으로 갈수록 (2 , 4)씩 커지는 규칙이 있습니다.

(2) ↙ 방향으로 (같은 , 다른) 수들이 있는 규칙이 있습니다.

03 빈칸에 알맞은 수를 써넣으세요.

(1)

+	1	3	5	7
1	2	4		8
3			8	
5	6		10	12
7		10		14

(2)

+	0	1	2	3
0	0			3
1		2		
2	2		4	5
3	3			6

개념 ② 곱셈표에서 규칙 찾기

[04~05] 곱셈표를 보고 물음에 답하세요.

×	1	3	5	7	9
1	1	3	5	7	
3	3	9		21	27
5	5				45
7	7		35		
9	9			63	81

04 빈칸에 알맞은 수를 써넣으세요.

05 알맞은 말에 ○표 하세요.

> 곱셈표에 있는 수들은 모두 (짝수 , 홀수)입니다.

06 규칙을 찾아 빈칸에 알맞은 수를 써넣으세요.

(1)
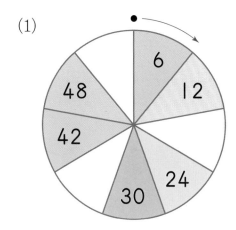

(2)
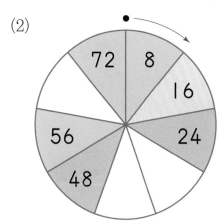

2 ^{단계} 교과서 **개념 다지기**

07 규칙을 찾아 □ 안에 알맞게 색칠해 보세요.

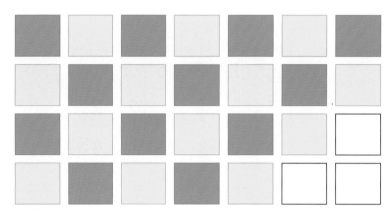

08 그림을 보고 규칙을 찾아 빈 곳에 알맞은 모양을 그려 보세요.

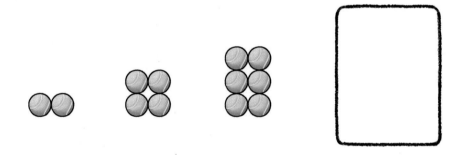

09 규칙을 정해 구슬을 실에 끼우고 있습니다. 다음에는 어떤 색의 구슬을 끼워야 하는지 써 보세요.

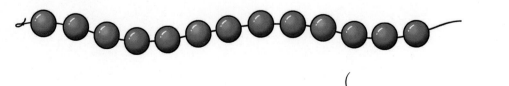

(   )

개념 4 **무늬에서 규칙 찾기** (2)

10 규칙을 찾아 도형을 알맞게 색칠해 보세요.

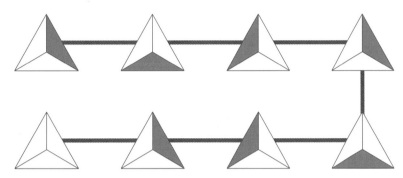

11 규칙을 찾아 ☐ 안에 알맞은 모양을 그려 보세요.

(1)

(2)

12 창문의 모양에서 규칙을 찾아 알맞은 모양을 그려 보세요.

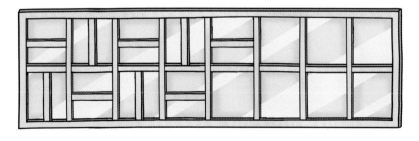

개념 5 쌓은 모양에서 규칙 찾기

13 다음과 같은 모양으로 쌓기나무를 쌓았습니다. 알맞은 것에 ○표 하여 쌓은 규칙을 완성해 보세요.

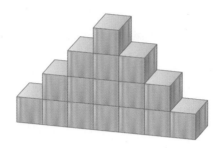

> 한 층 올라갈수록 쌓기나무가 (1 , 2)개씩 (줄어들고 , 늘어나고) 있습니다.

14 규칙에 따라 쌓기나무를 쌓았습니다. 다음에 이어질 모양에 쌓을 쌓기나무는 모두 몇 개일까요?

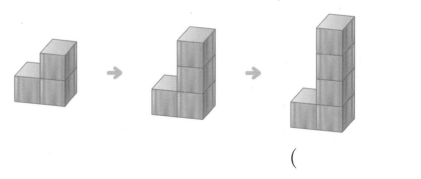

(   )

15 규칙에 따라 쌓기나무를 쌓아 갈 때 ☐ 안에 놓을 쌓기나무는 몇 개일까요?

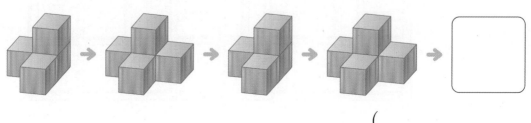

(   )

개념6 생활에서 규칙 찾기

16 버스 출발 시간표에서 찾을 수 있는 규칙을 완성해 보세요.

버스 출발 시간표
1시 20분
1시 35분
1시 50분
2시 5분

➡ 버스는 [ ]분마다 출발합니다.

17 규칙을 찾아 시곗바늘을 알맞게 그려 보세요.

18 컴퓨터 자판의 수에 있는 규칙을 찾아 써 보세요.

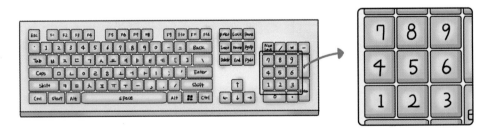

규칙 _____

★ **덧셈표에서 규칙을 찾아 빈칸 채우기**

1 덧셈표에서 규칙을 찾아 빈칸에 알맞은 수를 써넣으세요.

+	0	1	2
0	0	1	2
1	1	2	3
2	2	3	4

첫 번째 표:

	14		16
	15	16	

두 번째 표:

		9	10	
				12

개념 피드백

· 위 덧셈표에서 규칙 찾기

┌ 같은 줄에서 아래쪽으로 내려갈수록 1씩 커집니다.
└ 같은 줄에서 오른쪽으로 갈수록 1씩 커집니다.

1-1 위 1의 덧셈표에서 규칙을 찾아 빈칸에 알맞은 수를 써넣으세요.

26	27	
	28	
28		
29	30	

	35	
36		38
		39
		41

★ 곱셈표에서 규칙을 찾아 빈칸 채우기

2 곱셈표에서 규칙을 찾아 빈칸에 알맞은 수를 써넣으세요.

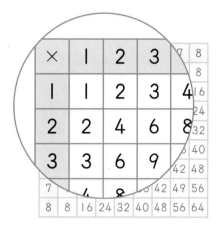

×	1	2	3			7	8
1	1	2	3	4			8
2	2	4	6	8			16
3	3	6	9				24
						42	48
7		8			42	49	56
8	8	16	24	32	40	48	56	64

왼쪽 도형 빈칸:
21 / 20 24 / 35 40 / 30

오른쪽 도형 빈칸:
14 21 / 24 / 27 36

개념 피드백

• 위 곱셈표에서 규칙 찾기

　┌ 각 단의 수는 아래쪽으로 내려갈수록 단의 수만큼 커집니다.
　└ 각 단의 수는 오른쪽으로 갈수록 단의 수만큼 커집니다.

2-1 위 **2**의 곱셈표에서 규칙을 찾아 빈칸에 알맞은 수를 써넣으세요.

왼쪽 도형:
10 / 15 21 / 16 24 28 / 20 30 / 30

오른쪽 도형:
6 8 10 / 12 / 15

3 주 교과서

⭐ **규칙을 찾아 도형 그리고 색칠하기**

3 규칙적으로 도형을 그린 것입니다. 규칙을 찾아 ☐ 안에 알맞은 도형을 그리고 색칠해 보세요.

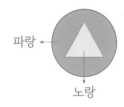   

파랑 ← (위 삼각형)
노랑 ↓ (아래 원)

개념 피드백
• 모양이 어떻게 반복되는지 찾아봅니다.
• 색깔이 어떻게 반복되는지 찾아봅니다.

3-1 규칙적으로 도형을 그린 것입니다. 규칙을 찾아 ☐ 안에 알맞은 도형을 그리고 색칠해 보세요.

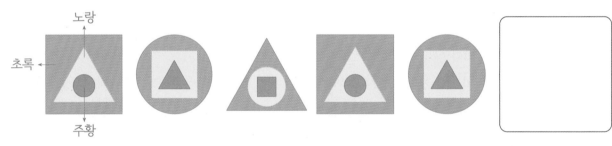

노랑
초록 ←
주황

3-2 규칙적으로 도형을 그린 것입니다. 규칙을 찾아 ☐ 안에 알맞은 도형을 그리고 색칠해 보세요.

초록
노랑 ←
파랑

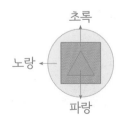   

★ 쌓기나무의 수 구하기

4 규칙에 따라 쌓기나무를 쌓았습니다. 쌓기나무를 4층으로 쌓으려면 쌓기나무는 모두 몇 개 필요할까요?

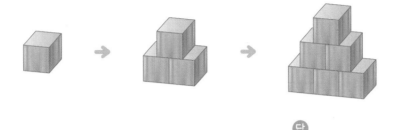

답 _____

 개념 피드백
• 쌓기나무의 수에서 규칙을 찾아봅니다.
• 쌓기나무를 쌓은 모양에서 규칙을 찾아봅니다.

4-1 규칙에 따라 쌓기나무를 쌓았습니다. 쌓기나무를 4층으로 쌓으려면 쌓기나무는 모두 몇 개 필요할까요?

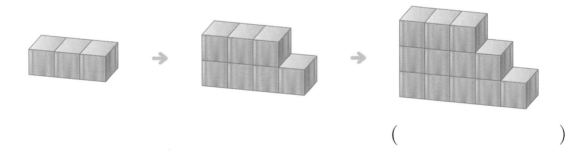

(   )

4-2 규칙에 따라 쌓기나무를 쌓았습니다. 쌓기나무를 4층으로 쌓으려면 쌓기나무는 모두 몇 개 필요할까요?

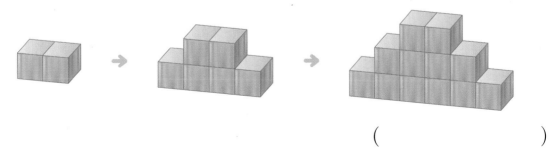

(   )

★ 달력의 일부 활용하기

5 달력을 보고 이달의 넷째 목요일은 며칠인지 구해 보세요.

답 _____

개념 피드백

• 달력에서 규칙 찾기 ┌ 모든 요일은 7일마다 반복되는 규칙이 있습니다.
　　　　　　　　　└ 가로로 1씩, 세로로 7씩 커지는 규칙이 있습니다.

5-1 달력을 보고 이달의 28일은 무슨 요일인지 구해 보세요.

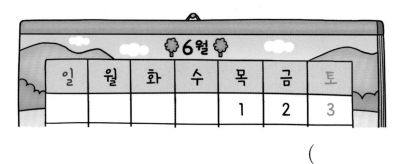

(　　　　　　)

5-2 달력을 보고 이달의 토요일은 몇 번 있는지 구해 보세요.

(　　　　　　)

★ □번째에 놓일 모양 찾기

6 규칙을 찾아 15번째에 놓일 학용품은 무엇인지 써 보세요.

답 _____

> **개념 피드백** 어떤 그림이 어떻게 반복되는지 알아봅니다.

6-1 규칙을 찾아 17번째에 놓일 동물은 무엇인지 써 보세요.

(   )

6-2 규칙을 찾아 20번째에 놓일 물건은 무엇인지 써 보세요.

접시 ←   컵 →

→ 꽃병

(   )

1 어느 공연장의 자리를 나타낸 그림입니다. 진주의 자리는 라열 세 번째입니다. 진주가 앉을 의자의 번호는 몇 번인지 구해 보세요.

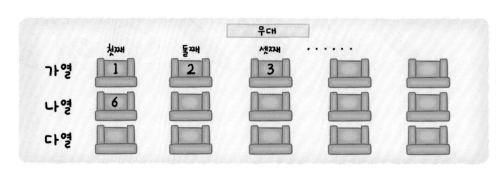

해결하기 의자 번호가 가로는 ☐ 씩, 세로는 ☐ 씩 커지는 규칙입니다.

나열 세 번째가 8번, 다열 세 번째가 13번이므로 라열 세 번째는 ☐ 번 입니다.

답 구하기 ☐

2 어느 영화관의 자리를 나타낸 그림입니다. 민서의 자리는 마열 네 번째입니다. 민서가 앉을 의자의 번호는 몇 번인지 구해 보세요.

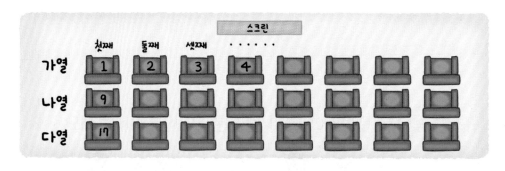

해결하기

답 구하기

3 규칙에 따라 쌓기나무를 쌓았습니다. 여섯 번째 모양까지 쌓을 쌓기나무는 모두 몇 개인지 구해 보세요.

해결하기 쌓기나무 ☐ 개로 쌓은 모양과 ☐ 개로 쌓은 모양이 반복되는 규칙입니다.

따라서 여섯 번째 모양까지 쌓을 쌓기나무는 모두

$2+4+$ ☐ $+$ ☐ $+$ ☐ $+$ ☐ $=$ ☐ 개입니다.

답 구하기 ☐

4 규칙에 따라 쌓기나무를 쌓았습니다. 네 번째 모양까지 쌓을 쌓기나무는 모두 몇 개인지 구해 보세요.

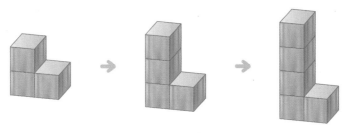

해결하기

답 구하기 _____

준비물 ◀ 붙임딱지

신데렐라가 왕자를 만나기 위해서는 규칙에 따라 완성된 계단을 올라가야 해요. 신데렐라가 집으로 돌아가지 않고 왕자를 만날 수 있도록 알맞은 붙임딱지를 찾아 붙여 계단을 완성해 보세요.

5 + 1

2+4

준비물 붙임딱지

꽃이 일정한 규칙으로 심어져 있고 꽃 주변에서 놀고 있는 동물들도 일정한 규칙이 있어요. 알맞은 꽃잎과 동물 붙임딱지를 찾아 붙여 보세요.

준비물 붙임딱지

1 단계 교과 사고력 잡기

1 다음 덧셈표에서 ▭으로 칠해진 수의 합을 구해 보세요.

①

+	0	1	2	3	4
0	0	1	2	3	4
1	1	2	3	4	5
2	2	3	4	5	6
3	3	4	5	6	7
4	4	5	6	7	8

(　　　　　　　　)

②

+	1	3	5	7	9
1	2	4	6	8	10
3	4	6	8	10	12
5	6	8	10	12	14
7	8	10	12	14	16
9	10	12	14	16	18

(　　　　　　　　)

2 어느 공연장의 자리를 나타낸 그림입니다. 물음에 답하세요.

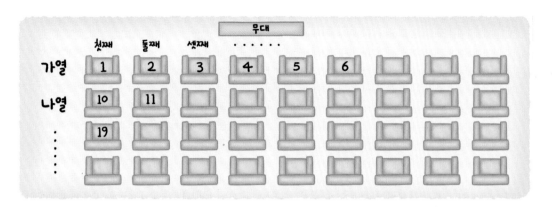

❶ 진영이의 자리는 라열 다섯 번째입니다. 진영이가 앉을 의자의 번호는 몇 번일까요?

(   )

❷ 가은이의 자리는 마열 세 번째입니다. 가은이가 앉을 의자의 번호는 몇 번일까요?

(   )

❸ 지수의 자리는 44번입니다. 어느 열 몇 번째 자리일까요?

(   )

3 소영이는 쌓기나무 24개를 사용하여 규칙에 따라 다음과 같이 쌓기나무를 쌓았습니다. 쌓기나무를 4층으로 쌓고 남은 쌓기나무는 몇 개인지 구해 보세요.

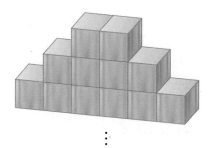

⋮

❶ 한 층 내려갈수록 쌓기나무가 몇 개씩 늘어날까요?

(   )

❷ 4층으로 쌓을 때 필요한 쌓기나무는 모두 몇 개일까요?

(   )

❸ 4층으로 쌓고 남은 쌓기나무는 몇 개일까요?

(   )

4 다음 덧셈표를 보고 물음에 답하세요.

+	2	㉠	8
		8	12
6	10	12	
㉡	10		㉢
㉣	12	14	16

4주 / 사고력

① ㉠, ㉡, ㉢, ㉣에 알맞은 수를 각각 구해 보세요.

㉠ (   ), ㉡ (   ),

㉢ (   ), ㉣ (   )

② 위 빈칸에 알맞은 수를 써넣으세요.

③ ▬▬으로 칠해진 수는 몇씩 커지는 규칙이 있을까요?

(   )

1 파란색, 초록색, 노란색을 사용하여 다음과 같이 규칙적으로 색을 칠했습니다. 물음에 답하세요.

1 위에서 본 색깔의 규칙을 찾아 써 보세요.

규칙 _____

2 앞에서 본 색깔의 규칙을 찾아 써 보세요.

규칙 _____

3 옆에서 본 색깔의 규칙을 찾아 써 보세요.

규칙 _____

4 다음에 이어질 모양에 알맞은 색을 칠해 보세요.

( )

2 규칙을 찾아 도형에 알맞게 색칠해 보세요.

❶

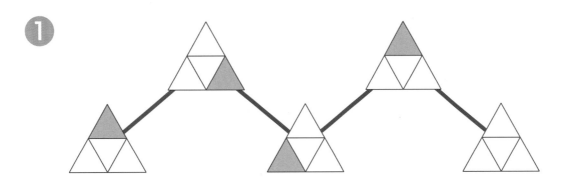

❷

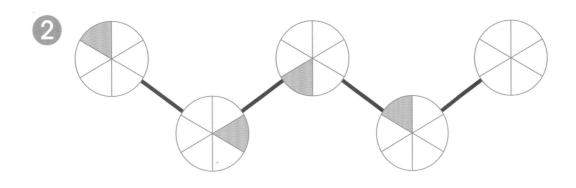

❸

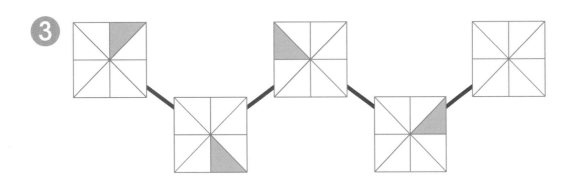

3 혜미가 만든 무늬입니다. 물음에 답하세요.

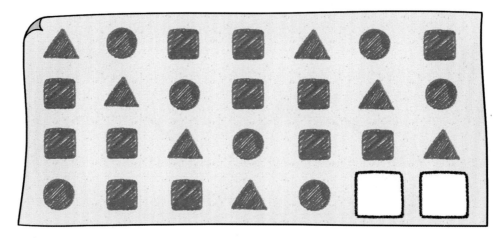

① 규칙을 찾아 써 보세요.

규칙 _____

② 위 빈 곳에 알맞은 모양을 그려 보세요.

③ 위의 무늬에서 모양을 숫자로 바꾸어 나타내어 보세요.

3	0	4	4	3	0	4
4						

4 어느 해 11월 달력의 일부가 찢어져 있습니다. 이 해의 12월 3일은 무슨 요일인지 구해 보세요.

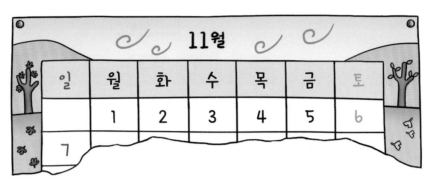

1 같은 요일은 며칠마다 반복될까요?

( )

2 11월의 마지막 날은 며칠일까요?

( )

3 11월의 마지막 날은 무슨 요일일까요?

( )

4 12월 3일은 무슨 요일일까요?

( )

1 어느 공연장의 자리를 나타낸 그림입니다. 물음에 답하세요.

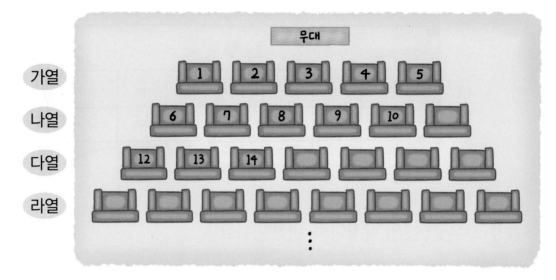

❶ 위 의자에 번호를 모두 써넣으세요.

❷ 마열 다섯 번째 자리는 몇 번일까요?

(   )

❸ 무대 쪽을 바라보고 있을 때 마열 오른쪽에서 두 번째 자리는 몇 번 일까요?

(   )

평가 영역 □개념 이해력 ☑개념 응용력 ☑창의력 □문제 해결력

2 규칙을 찾아 빈칸에 알맞은 수를 써넣으세요.

①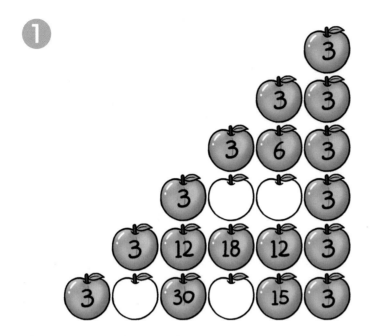

②

1 덧셈표를 보고 물음에 답하세요.

+	2	4	6	8
2		4	6		10
4	6		10	
6		10		
8			14	

(1) 빈칸에 알맞은 수를 써넣으세요.

(2) ▬ 으로 칠해진 수는 ↘ 방향으로 갈수록 몇씩 커지는 규칙이 있을까요?

(   )

2 규칙을 찾아 □ 안에 알맞은 학용품의 이름을 써 보세요.

(   )

3 규칙을 찾아 빈칸에 알맞은 모양을 그리고 색칠해 보세요.

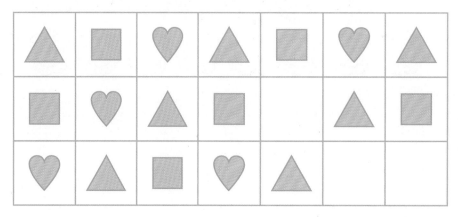

4 규칙을 찾아 빈칸에 알맞은 수를 써넣으세요.

(1)
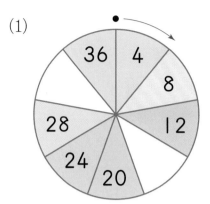

(2)
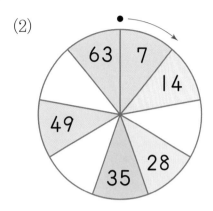

5 삼각형이 쌓여 있는 그림을 보고 규칙을 찾아 ☐ 안에 알맞은 모양을 그리고 색칠해 보세요.

6 덧셈표의 일부를 떼어 낸 것입니다. 규칙을 찾아 빈칸에 알맞은 수를 써넣으세요.

(1)

8	9	10
	10	11
10		12

(2)

	21	22
		22
21	22	
	23	24

7 다음과 같은 모양으로 쌓기나무를 쌓았습니다. 쌓은 규칙을 써 보세요.

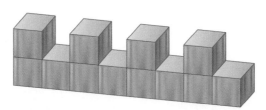

규칙 _____

_____

[8~9] 그림을 보고 물음에 답하세요.

8 규칙을 찾아 □ 안에 알맞은 동물의 이름을 써 보세요.

(   )

9 위의 그림에서 🐿는 2, 🦌은 4, 🐻은 5로 바꾸어 나타내어 보세요.

2	4	5	2	4	
	5	2	4	5	

10 규칙을 찾아 시곗바늘을 알맞게 그려 보세요.

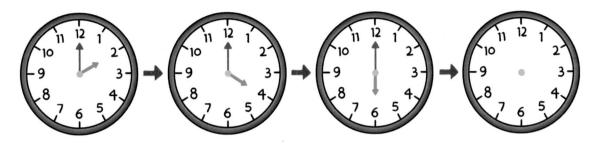

11 규칙에 따라 쌓기나무를 쌓아 갈 때 ☐ 안에 놓을 쌓기나무는 몇 개일까요?

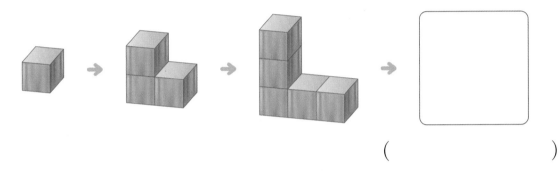

(   )

12 규칙을 찾아 도형에 알맞게 색칠해 보세요.

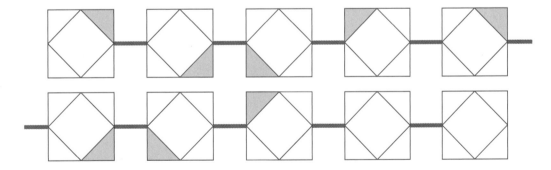

13 규칙에 따라 한글로 만든 모양입니다. 규칙에 맞게 빈칸을 완성해 보세요.

ㄷ	ㅁ	ㄱ	ㄷ	ㅁ	ㄱ	ㄷ	ㅁ
ㄱ	ㄷ	ㅁ	ㄱ	ㄷ			

14 달력을 보고 이달의 넷째 목요일은 며칠인지 구해 보세요.

일	월	화	수	목	금	토
			1	2	3	4

❀11월❀

(   )

15 규칙에 따라 쌓기나무를 쌓았습니다. 쌓기나무를 5층으로 쌓으려면 쌓기나무는 모두 몇 개 필요할까요?

(   )

16 승강기 안에 있는 숫자판에서 찾을 수 있는 규칙을 찾아 기호를 써 보세요.

ㄱ 오른쪽으로 갈수록 2배씩 커집니다.

ㄴ 위쪽으로 올라갈수록 1씩 작아집니다.

ㄷ 아래쪽으로 내려갈수록 1씩 커집니다.

ㄹ 왼쪽으로 갈수록 5씩 작아집니다.

(   )

1 지우네 학교 복도에 있는 신발장에 번호가 표시되어 있지 않은 곳이 있습니다. 대화를 읽고 친구들의 신발장 번호를 찾아보세요.

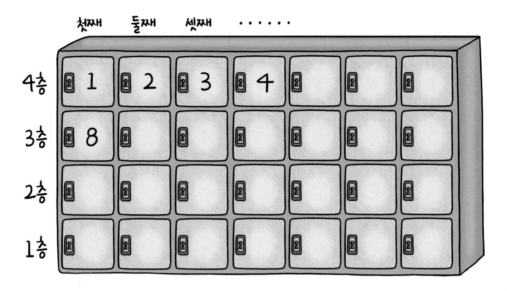

난 2층의 다섯 번째야.

지우

난 1층의 세 번째인데……

준수

(1) 지우의 신발장 번호는 몇 번일까요?

(   )

(2) 준수의 신발장 번호는 몇 번일까요?

(   )

Memo

문제의 알맞은 곳에 붙임딱지를 붙여보세요.

5쪽

14~15쪽

16~17쪽

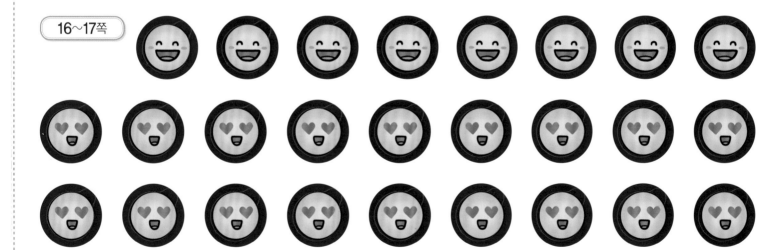

32~33쪽

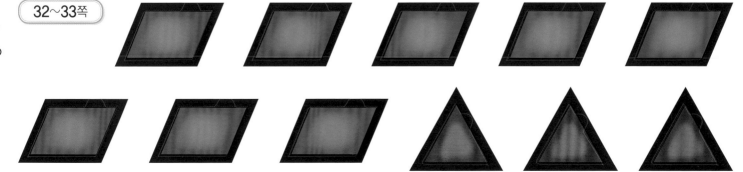

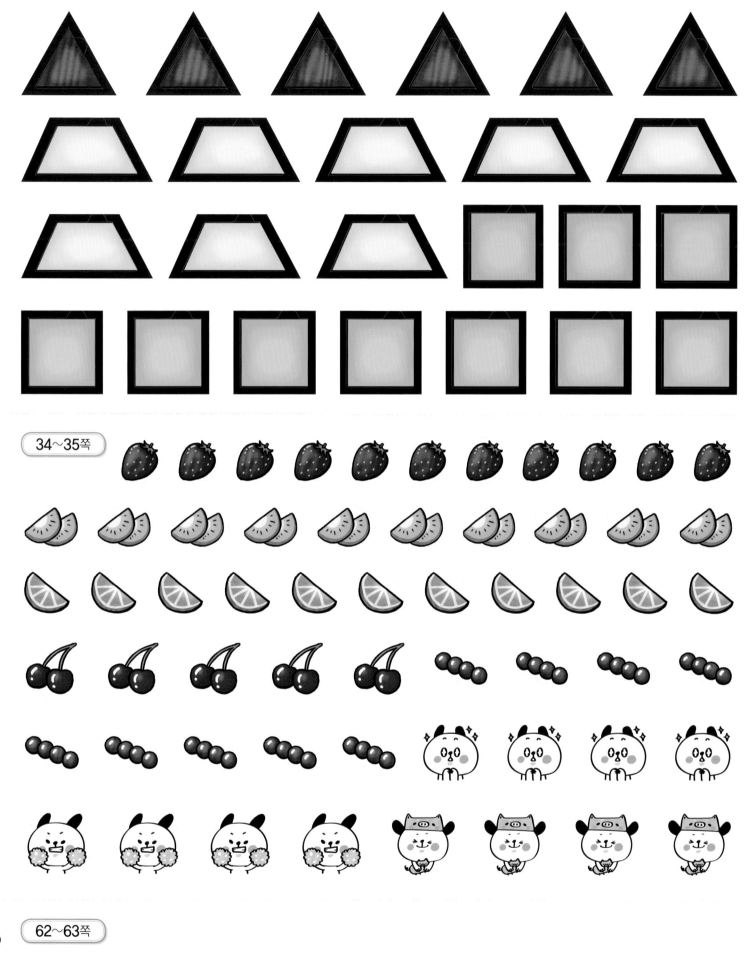

34~35쪽

62~63쪽

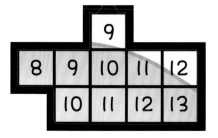

	9			
8	9	10	11	12
10	11	12	13	

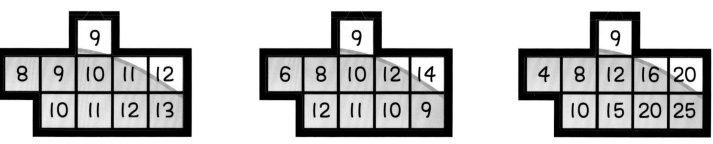

	9			
6	8	10	12	14
12	11	10	9	

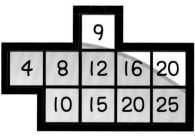

	9			
4	8	12	16	20
10	15	20	25	

64~65쪽

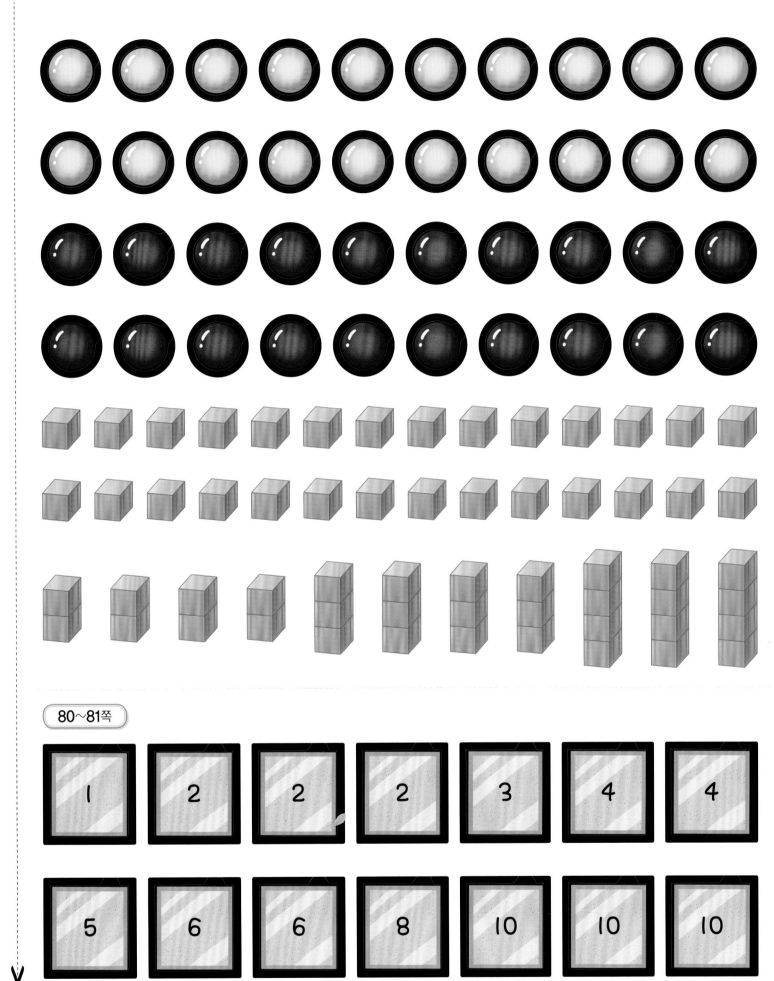

80~81쪽

| 1 | 2 | 2 | 2 | 3 | 4 | 4 |

| 5 | 6 | 6 | 8 | 10 | 10 | 10 |

| 12 | 12 | 20 | 20 | 30 | 30 | 40 |

자르는 선

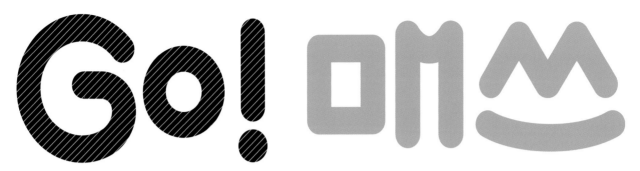

교과서 GO! 사고력 GO!

GO! 매쓰

사고력 중심

Run-C
교과서 사고력

GO!

정답과 풀이 　　수학 2-2

열심히
풀었으니까,
한 번 맞춰 볼까?

5 표와 그래프

자료를 정리하기

가은이네 반은 교실을 꾸미는 시간을 가지기로 했습니다. 민주네 모둠(햇님 모둠)은 교실 앞쪽을 꾸미기로 했고 가은이네 모둠(우주 모둠)은 교실 뒤쪽을 꾸미기로 했습니다. 그럼 교실을 꾸민 모습을 살펴볼까요?

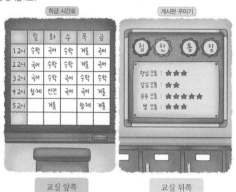

교실 앞쪽   교실 뒤쪽

- 5교시까지 있는 요일은 화요일, 목요일, 금요일입니다.
- 수요일은 수학 시간과 국어 시간이 2시간씩으로 같습니다.
- 화요일에는 안전 시간이 있습니다.
- 칭찬 붙임딱지를 가장 많이 모은 모둠은 우주 모둠입니다.
- 칭찬 붙임딱지를 가장 적게 모은 모둠은 달님 모둠입니다.

종혁이는 집에 있는 과일을 식탁 위에 늘어놓아 보았습니다. 집에 있는 과일 중 가장 많은 것은 무엇인지 구해 보세요.

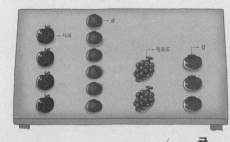

(귤   )

학교 칠판의 모습입니다. 하트 붙임딱지를 이용해서 학생들이 현장 체험 학습 장소로 가고 싶은 곳을 고르는 모습을 꾸며 보세요.

---

① 단계 교과서 개념 잡기

개념 확인 문제

개념 1 자료를 보고 표로 나타내어 보기

승기네 모둠 학생들이 좋아하는 운동

① 자료 분류하기

② 자료의 수를 세어 표로 나타내기

승기네 모둠 학생들이 좋아하는 운동별 학생 수

운동	축구	야구	줄넘기	배구	합계
학생 수(명)	////	////	////	////	
	4	5	2	4	15

참고 자료를 표로 나타낼 때에는 산가지(////) 모양이나 '正'의 표시 방법을 이용하여 나타냅니다.

[1-1~1-3] 서연이네 반 학생들이 좋아하는 색깔을 조사하였습니다. 물음에 답하세요.

서연이네 반 학생들이 좋아하는 색깔

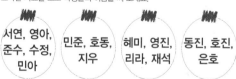

1-1 조사한 자료를 보고 학생들의 이름을 써 보세요.

서연, 영아, 준수, 수정, 민아	민준, 호동, 지우	혜미, 영진, 리라, 재석	동진, 호진, 은호

✤ 각 학생들이 좋아하는 색깔을 찾아 이름을 씁니다.

1-2 조사한 자료를 보고 표로 나타내어 보세요.

서연이네 반 학생들이 좋아하는 색깔별 학생 수

색깔					합계
학생 수(명)	////	///	////	///	
	5	3	4	3	15

✤ 각 색깔을 산가지로 표시하면서 세어 봅니다.

1-3 서연이네 반 학생은 모두 몇 명일까요?

(15명   )

✤ 조사한 학생은 모두 15명입니다.

1 교과서 개념 잡기

개념 2 자료를 조사하여 표로 나타내어 보기

• 자료를 조사하여 표로 나타내는 방법

① 조사할 자료 정하기

　모둠 학생들이 좋아하는 과목 조사하기

② 조사하는 방법 생각하기

　┌ 친구들에게 직접 물어 봅니다.
　├ 종이에 적어서 모읍니다.
　└ 손을 들어 그 수를 셉니다.

③ 자료를 조사하기

재형이네 반 학생들이 좋아하는 과목

이름	과목	이름	과목	이름	과목	이름	과목
재형	수학	재범	수학	가은	국어	정표	창·체
수지	국어	경민	겨울	민재	수학	남경	수학
성훈	겨울	미영	국어	종선	창·체	원석	수학
민혁	창·체	상혁	수학	영애	수학	연경	국어

④ 조사한 자료를 표로 나타내기

재형이네 반 학생들이 좋아하는 과목별 학생 수

과목	수학	국어	겨울	창·체	합계
학생 수(명)	7	4	2	3	16

> • 자료를 표로 정리하면 좋은 점
> ① 좋아하는 과목별로 학생 수를 한눈에 알아보기 쉽습니다.
> ② 표에서 전체 학생 수를 쉽게 알 수 있습니다.

8 · Run- 2-2

개념 확인 문제

정답과 풀이 p.2

[2-1~2-3] 준희네 반 학생들이 좋아하는 계절을 조사하였습니다. 물음에 답하세요.

준희네 반 학생들이 좋아하는 계절

준희 / 민지 / 연지 / 가은 / 혜미
동호 / 소진 / 민아 / 채민 / 재환
서형 / 슬기 / 재희 / 승기 / 나래

2-1 조사한 자료를 보고 표로 나타내어 보세요.

준희네 반 학생들이 좋아하는 계절별 학생 수

계절	봄	여름	가을	겨울	합계
학생 수(명)	5	3	4	3	15

❖ 준희네 반 학생들이 좋아하는 계절별 학생 수를 세어 표에 적습니다.

2-2 민아가 좋아하는 계절은 무엇일까요?

(**가을**)

❖ 민아가 좋아하는 계절은 가을입니다.

2-3 조사한 자료와 표 중 좋아하는 계절별 학생 수를 알아보기 편리한 것은 무엇일까요?

(**표**)

❖ 좋아하는 계절별 학생 수를 알아보기 편리한 것은 표입니다.

5. 표와 그래프 · 9

1 교과서 개념 잡기

개념 3 그래프로 나타내어 보기

보영이네 반 학생들이 좋아하는 동물

강아지 보영 / 고양이 민준 / 햄스터 유빈 / 토끼 초희 / 영준 / 다빈
민성 / 도연 / 지민 / 현서 / 태윤 / 혁주
승원 / 채윤 / 시현 / 다빈 / 현우 / 수인

보영이네 반 학생들이 좋아하는 동물별 학생 수

6	○			
5	○		○	
4	○	○	○	
3	○	○	○	○
2	○	○	○	○
1	○	○	○	○
학생 수(명) / 동물	강아지	고양이	햄스터	토끼

➡ 보영이네 반에서 가장 많은 학생이 좋아하는 동물을 한눈에 알 수 있습니다.

> • 그래프 그리는 순서
> ① 가로와 세로에 어떤 것을 나타낼지 정합니다.
> ② 가로와 세로를 각각 몇 칸으로 할지 정합니다.
> ③ 그래프에 ○, ×, / 중 하나를 선택하여 대상을 나타냅니다.
> ④ 그래프의 제목을 씁니다.

10 · Run- 2-2

개념 확인 문제

정답과 풀이 p.2

[3-1~3-2] 나래네 반 학생들이 좋아하는 간식을 조사하였습니다. 물음에 답하세요.

나래네 반 학생들이 좋아하는 간식

김밥 나래 / 만두 재혁 / 라면 종원 / 떡볶이 효진 / 준수
예진 / 지은 / 태환 / 주영 / 소민
동건 / 윤지 / 민호 / 정민 / 세훈

3-1 조사한 자료를 보고 표로 나타내어 보세요.

나래네 반 학생들이 좋아하는 간식별 학생 수

간식	김밥	만두	라면	떡볶이	합계
학생 수(명)	2	4	3	6	15

❖ 나래네 반 학생들이 좋아하는 간식별 학생 수를 세어 표에 적습니다.

3-2 조사한 자료를 보고 ○를 이용하여 그래프로 나타내어 보세요.

나래네 반 학생들이 좋아하는 간식별 학생 수

6				○
5				○
4		○		○
3		○	○	○
2	○	○	○	○
1	○	○	○	○
학생 수(명) / 간식	김밥	만두	라면	떡볶이

❖ 간식별 학생 수만큼 한 칸에 하나씩 아래에서 위로 빈칸 없이 ○를 그립니다.

5. 표와 그래프 · 11

1 교과서 개념 잡기

정답과 풀이 p.3

개념 확인 문제

개념 4 표와 그래프의 내용 알아보기

• 표의 내용 알아보기

민서네 반 학생들이 좋아하는 과일별 학생 수

과일	사과	배	바나나	귤	합계
학생 수(명)	5	6	3	4	18

① 민서네 반 학생은 모두 18명입니다.
② 바나나를 좋아하는 학생은 3명입니다.
③ 배를 좋아하는 학생이 6명으로 가장 많습니다.

• 그래프의 내용 알아보기

민서네 반 학생들이 좋아하는 과일별 학생 수

학생 수(명)\과일	사과	배	바나나	귤
6		×		
5	×	×		
4	×	×		×
3	×	×	×	×
2	×	×	×	×
1	×	×	×	×

① 가장 많은 학생이 좋아하는 과일은 배입니다.
② 사과를 좋아하는 학생은 귤을 좋아하는 학생보다 많습니다.

개념 5 표와 그래프의 편리한 점

표	• 조사한 자료별 수를 알기 쉽습니다. • 조사한 자료의 전체 수를 알아보기 편리합니다.
그래프	• 조사한 자료별 수를 한눈에 비교하기 쉽습니다. • 가장 많은 것, 가장 적은 것을 한눈에 알아보기 편리합니다.

[4-1~5] 윤아네 반 학생들의 가족 수를 조사하여 표와 그래프로 나타내었습니다. 물음에 답하세요.

윤아네 반 학생들의 가족 수별 학생 수

가족 수	2명	3명	4명	5명	합계
학생 수(명)	2	6	5	3	16

윤아네 반 학생들의 가족 수별 학생 수

학생 수(명)\가족 수	2명	3명	4명	5명
6		○		
5		○	○	
4		○	○	
3		○	○	○
2	○	○	○	○
1	○	○	○	○

4-1 윤아네 반 학생은 모두 몇 명일까요?

(**16명**)

✤ 표에서 합계가 16이므로 윤아네 반 학생은 모두 16명입니다.

4-2 가족 수가 4명인 학생은 몇 명일까요?

(**5명**)

✤ 표를 보면 가족 수가 4명인 학생은 5명입니다.

5 가장 많은 학생들의 가족 수를 한눈에 알아보기 편리한 것은 표와 그래프 중 무엇일까요?

(**그래프**)

✤ 그래프는 가장 많은 것과 가장 적은 것을 한눈에 알아보기 편리합니다.

PLAY 교과서 개념 스토리 — 좋아하는 운동 조사

수지네 반 학생들이 좋아하는 운동을 조사하려고 합니다. 자료를 조사하여 공 붙임딱지를 알맞게 붙인 뒤 물음에 답하세요.

준비물 붙임딱지

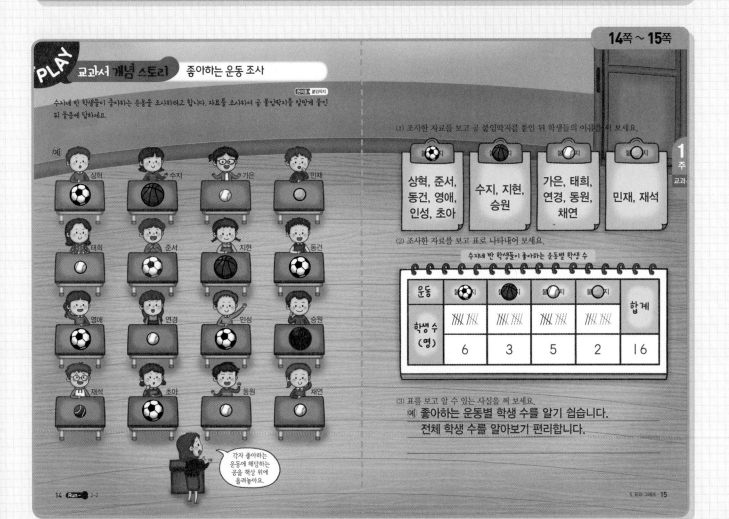

(1) 조사한 자료를 보고 공 붙임딱지를 붙인 뒤 학생들의 이름을 써 보세요.

⚽	🏀	🏐	○
상혁, 준서, 동건, 영애, 인성, 초아	수지, 지현, 승원	가은, 태희, 연경, 동원, 채연	민재, 재석

(2) 조사한 자료를 보고 표로 나타내어 보세요.

수지네 반 학생들이 좋아하는 운동별 학생 수

운동	⚽	🏀	🏐	○	합계
학생 수(명)	6	3	5	2	16

(3) 표를 보고 알 수 있는 사실을 써 보세요.
예 좋아하는 운동별 학생 수를 알기 쉽습니다.
전체 학생 수를 알아보기 편리합니다.

각자 좋아하는 운동에 해당하는 공을 책상 위에 올려놓아요.

PLAY 교과서 개념 스토리　좋아하는 프로그램 조사

연지네 반과 민수네 반 학생들이 좋아하는 텔레비전 프로그램을 조사하려고 합니다. 자료를 조사하여 붙임딱지를 붙이고 표와 그래프를 각각 완성해 보세요.

우리 반 학생은 모두 17명이야. 연지

좋아하는 텔레비전 프로그램별 학생 수

프로그램	드라마	예능	영화	만화	합계
학생 수(명)	6	4	5	2	17

좋아하는 텔레비전 프로그램별 학생 수

6	○			
5	○		○	
4	○	○	○	
3	○	○	○	
2	○	○	○	○
1	○	○	○	○
학생 수(명) / 프로그램	드라마	예능	영화	만화

우리 반 학생은 모두 19명이야. 민수

좋아하는 텔레비전 프로그램별 학생 수

프로그램	드라마	예능	영화	만화	합계
학생 수(명)	6	5	3	5	19

좋아하는 텔레비전 프로그램별 학생 수

만화	×	×	×	×		
영화	×	×	×			
예능	×	×	×	×	×	
드라마	×	×	×	×	×	×
프로그램 / 학생 수(명)	1	2	3	4	5	6

16 Run- 2-2

5. 표와 그래프 17

---

2 단계 교과서 개념 다지기

정답과 풀이 p.4

개념 1 자료를 보고 표로 나타내기

[01~02] 나영이네 모둠 학생들이 가 보고 싶은 나라를 조사하였습니다. 물음에 답하세요.

나영이네 모둠 학생들이 가 보고 싶은 나라

이름	나라	이름	나라	이름	나라
나영	미국	연지	프랑스	슬기	프랑스
민정	중국	지호	미국	채윤	미국
겸은	프랑스	혜선	프랑스	민수	중국

01 자료를 보고 표로 나타내어 보세요.

나영이네 모둠 학생들이 가 보고 싶은 나라별 학생 수

나라	미국	중국	프랑스	합계
학생 수(명)	〃〃 3	〃〃 2	〃〃〃 4	9

02 조사한 학생은 모두 몇 명일까요?

(9명)

✤ 표를 보면 합계가 9이므로 조사한 학생은 모두 9명입니다.

03 자료를 조사하여 표로 나타내는 순서를 기호로 써 보세요.

　ㄱ 조사한 자료를 보고 표로 나타냅니다.
　ㄴ 어떤 내용을 어떤 방법으로 나타낼지 정합니다.
　ㄷ 정한 내용과 방법으로 자료를 조사합니다.

✤ 조사할 자료 정하기 (ㄴ, ㄷ, ㄱ)
　→ 조사할 내용에 맞는 조사 방법 생각하기 → 자료 조사하기
　→ 조사한 자료를 표로 나타내기

개념 2 그래프로 나타내기

[04~05] 진주네 반 학생들이 좋아하는 우유 맛을 조사하였습니다. 물음에 답하세요.

진주네 반 학생들이 좋아하는 우유 맛

초콜릿 맛	딸기 맛	바나나 맛	커피 맛	딸기 맛
바나나 맛	커피 맛	딸기 맛	초콜릿 맛	바나나 맛
딸기 맛	바나나 맛	커피 맛	바나나 맛	딸기 맛
커피 맛	초콜릿 맛	딸기 맛	바나나 맛	딸기 맛

04 그래프로 나타낼 때 그래프의 가로와 세로에는 각각 어떤 것을 나타내는 것이 좋을까요?

가로 (예) 우유 맛 종류), 세로 (예) 학생 수)

05 ○, ×, / 중 하나를 이용하여 그래프로 나타내어 보세요.

진주네 반 학생들이 좋아하는 우유 맛별 학생 수

예)

7				
6		/		
5		/		
4		/		
3		/	/	
2	/	/	/	/
1	/	/	/	/
학생 수(명) / 우유 맛	초콜릿 맛	딸기 맛	바나나 맛	커피 맛

✤ 좋아하는 우유 맛별 학생 수만큼 ○, ×, / 중 하나를 선택하여 표시합니다.

18 Run- 2-2

5. 표와 그래프 19

 교과서 개념 다지기

정답과 풀이 p.5

개념3 표의 내용 알아보기

[06~09] 동진이네 반 학생들의 장래 희망을 조사하여 표로 나타내었습니다. 물음에 답하세요.

동진이네 반 학생들의 장래 희망별 학생 수

장래 희망	연예인	의사	소방관	선생님	합계
학생 수(명)	7	8	5	6	

06 동진이네 반 학생들의 장래 희망 종류는 모두 몇 가지일까요?

(**4가지**)

❖ 동진이네 반 학생들의 장래 희망 종류는 연예인, 의사, 소방관, 선생님으로 모두 4가지입니다.

07 선생님이 되고 싶은 학생은 몇 명일까요?

(**6명**)

❖ 선생님이 되고 싶은 학생은 6명입니다.

08 가장 많은 학생들의 장래 희망은 무엇일까요?

(**의사**)

❖ 표를 보면 8>7>6>5이므로 8명의 장래 희망인 의사입니다.

09 동진이네 반 학생은 모두 몇 명일까요?

❖ 7+8+5+6=26(명)   (**26명**)
따라서 동진이네 반 학생은 26명입니다.

개념4 그래프의 내용 알아보기

[10~12] 수미네 반 학생들이 좋아하는 곤충을 조사하여 그래프로 나타내었습니다. 물음에 답하세요.

수미네 반 학생들이 좋아하는 곤충별 학생 수

학생 수(명) \ 곤충	잠자리	무당벌레	장수풍뎅이	사마귀
6		○		
5	○	○	○	
4	○	○	○	
3	○	○	○	○
2	○	○	○	○
1	○	○	○	○

10 그래프의 가로와 세로에 나타낸 것은 각각 무엇일까요?

가로 (**곤충 종류**), 세로 (**학생 수**)

❖ 그래프의 가로에는 곤충 종류, 세로에는 학생 수를 나타내었습니다.

11 가장 많은 학생이 좋아하는 곤충은 무엇이고, 몇 명의 학생이 좋아할까요?

(**무당벌레**), (**6명**)

❖ 가장 많은 학생이 좋아하는 곤충은 ○가 가장 높은 무당벌레이고 ○가 6개이므로 6명의 학생이 좋아합니다.

12 좋아하는 학생 수가 같은 곤충은 무엇과 무엇일까요?

(**잠자리**)와 (**장수풍뎅이**)

❖ 그래프에서 ○의 높이가 같은 것은 잠자리와 장수풍뎅이입니다.

 교과서 개념 다지기

정답과 풀이 p.5

개념5 표와 그래프 비교하기

[13~14] 민수네 반 학생들이 받고 싶은 선물을 조사하여 표와 그래프로 나타내었습니다. 물음에 답하세요.

민수네 반 학생들이 받고 싶은 선물별 학생 수

선물	인형	게임기	옷	학용품	합계
학생 수(명)	4	7	5	6	22

민수네 반 학생들이 받고 싶은 선물별 학생 수

학생 수(명) \ 선물	인형	게임기	옷	학용품
7		○		
6		○		○
5		○	○	○
4	○	○	○	○
3	○	○	○	○
2	○	○	○	○
1	○	○	○	○

13 조사한 전체 학생 수를 알아보기 편리한 것은 표와 그래프 중 어느 것일까요?

(**표**)

❖ 표는 조사한 전체 학생 수를 알아보기 편리합니다.

14 가장 많은 학생이 받고 싶은 선물을 한눈에 알아보기 편리한 것은 표와 그래프 중 어느 것일까요?

(**그래프**)

❖ 그래프는 가장 많은 학생이 받고 싶은 선물을 한눈에 알아보기 편리합니다.

개념6 표와 그래프로 나타내기

[15~16] 민호네 반 학생들이 좋아하는 음료수를 조사하였습니다. 물음에 답하세요.

학생들이 좋아하는 음료수

15 조사한 자료를 보고 표로 나타내어 보세요.

민호네 반 학생들이 좋아하는 음료수별 학생 수

음료수	콜라	우유	식혜	주스	합계
학생 수(명)	6	3	2	5	16

❖ 좋아하는 음료수별로 붙임딱지의 수를 세어 표에 써넣습니다.
합계: 6+3+2+5=16

16 ○를 이용하여 그래프로 나타내어 보세요.

민호네 반 학생들이 좋아하는 음료수별 학생 수

학생 수(명) \ 음료수	콜라	우유	식혜	주스
6	○			
5	○			○
4	○			○
3	○	○		○
2	○	○	○	○
1	○	○	○	○

❖ 음료수별 수만큼 ○를 표시합니다. 이때 ○는 한 칸에 하나씩 아래쪽에서 위쪽으로 빈칸 없이 채워서 표시합니다.

3 단계 교과서 실력 다지기

정답과 풀이 p.6

★ 자료를 보고 표로 나타내기

1 연우네 모둠 학생들이 고리 던지기를 하여 들어가면 ○표, 들어가지 않으면 ×표를 하였습니다. 자료를 보고 학생들이 고리 던지기를 하여 고리가 들어간 횟수를 표로 나타내어 보세요.

연우네 모둠 학생들의 고리 던지기 결과

이름 \ 횟수(번)	1	2	3	4	5	6
연우	○	×	○	○	×	○
채민	○	○	×	○	×	×
준희	×	○	×	×	○	×

연우네 모둠 학생별 고리가 들어간 횟수

이름	연우	채민	준희	합계
횟수(번)	4	3	2	9

개념 리드백 고리가 들어간 횟수는 ○의 수를 세고 고리가 들어가지 않은 횟수는 ×의 수를 세어 표로 나타냅니다.

❖ 학생별 ○의 수를 세어 표로 나타냅니다.

1-1 위 **1**의 연우네 모둠 학생들의 고리 던지기 결과를 보고 학생들이 고리 던지기를 하여 고리가 들어가지 않은 횟수를 표로 나타내어 보세요.

연우네 모둠 학생별 고리가 들어가지 않은 횟수

이름	연우	채민	준희	합계
횟수(번)	2	3	4	9

❖ 학생별 ×의 수를 세어 표로 나타냅니다.

★ 전체 수 보고 표 완성하기

2 민지네 반 학생들이 배우고 싶은 운동을 조사하여 표로 나타냈습니다. 표를 완성해 보세요.

민지네 반 학생들이 배우고 싶은 운동별 학생 수

운동	권투	태권도	수영	합기도	합계
학생 수(명)	7	4	3	5	19

개념 리드백 주어진 자료별 학생 수를 모두 더하면 합계와 같습니다.

❖ 7+4+5=16(명)
➡ (수영을 배우고 싶은 학생 수)=19-16=3(명)

2-1 종민이네 반 학생들이 가 보고 싶은 장소를 조사하여 표로 나타내었습니다. 표를 완성해 보세요.

종민이네 반 학생들이 가 보고 싶은 장소별 학생 수

장소	놀이공원	박물관	동물원	전시회장	합계
학생 수(명)	8	3	7	2	20

❖ 3+7+2=12(명)
➡ (놀이공원에 가 보고 싶은 학생 수)=20-12=8(명)

2-2 수영이네 반 학생들이 한 달 동안 읽은 책 수를 조사하여 표로 나타내었습니다. 표를 완성해 보세요.

수영이네 반 학생들이 한 달 동안 읽은 책 수별 학생 수

책 수	0권	1권	2권	3권	합계
학생 수(명)	6	9	6	4	25

❖ 6+9+4=19(명)
➡ (읽은 책이 2권인 학생 수)=25-19=6(명)

3 단계 교과서 실력 다지기

정답과 풀이 p.6

★ 표와 그래프 완성하기

3 수영이네 모둠 학생들이 필요한 학용품을 조사하여 표와 그래프로 나타내었습니다. 표와 그래프를 각각 완성해 보세요.

수영이네 모둠 학생들이 필요한 학용품별 학생 수

학용품	연필	지우개	풀	자	합계
학생 수(명)	2	3	3	1	9

수영이네 모둠 학생들이 필요한 학용품별 학생 수

학생 수(명) \ 학용품	연필	지우개	풀	자
3		○	○	
2	○	○	○	
1	○	○	○	○

개념 리드백 표에서 해당 자료의 빈칸에 알맞은 수는 그래프에서 ○의 수와 같고, 그래프에서 해당 자료의 ○의 수는 표의 수만큼 그립니다.

❖ 합계: 2+3+3+1=9

3-1 명철이네 모둠 학생들이 좋아하는 과목을 조사하여 표와 그래프로 나타내었습니다. 표와 그래프를 각각 완성해 보세요.

명철이네 모둠 학생들이 좋아하는 과목별 학생 수

과목	국어	수학	안전	창·체	합계
학생 수(명)	3	3	1	3	10

명철이네 모둠 학생들이 좋아하는 과목별 학생 수

학생 수(명) \ 과목	국어	수학	안전	창·체
3	○	○		○
2	○	○		○
1	○	○	○	○

❖ 국어를 좋아하는 학생은 3명입니다.
수학을 뺀 과목을 좋아하는 학생은 3+1+3=7(명)이므로
수학을 좋아하는 학생은 10-7=3(명)입니다.

★ 그래프의 내용 알아보기

4 준수네 반 학생들이 좋아하는 색깔을 조사하여 그래프로 나타내었습니다. 가장 많은 학생이 좋아하는 색깔의 학생 수는 가장 적은 학생이 좋아하는 색깔의 학생 수보다 몇 명 더 많을까요?

준수네 반 학생들이 좋아하는 색깔별 학생 수

답 __5명__

개념 리드백 · 그래프의 내용 알아보기
그래프에서 /의 수를 세어 각 자료별 학생 수를 구합니다.

❖ 가장 많은 학생이 좋아하는 색깔: 빨간색 → 8명
가장 적은 학생이 좋아하는 색깔: 파란색 → 3명
➡ 8-3=5(명)

4-1 위 **4**의 그래프에서 노란색을 좋아하는 학생은 파란색을 좋아하는 학생보다 몇 명 더 많을까요?

(__3명__)

❖ 6-3=3(명)

4-2 위 **4**의 그래프에서 노란색을 좋아하는 학생은 빨간색을 좋아하는 학생보다 몇 명 더 적을까요?

(__2명__)

❖ 8-6=2(명)

3 단계 교과서 실력 다지기

정답과 풀이 p.7

★ 자료와 표의 수 비교하기

5 동백이네 모둠 학생들이 배우고 싶은 악기를 조사하였습니다. 승주가 배우고 싶은 악기는 무엇일까요?

동백이네 모둠 학생들이 배우고 싶은 악기

이름	악기	이름	악기	이름	악기
준수	피아노	동백	오카리나	가은	바이올린
혜숭	바이올린	보미	오카리나	승주	바이올린
민수	오카리나	규호	피아노	건희	오카리나

동백이네 모둠 학생들이 배우고 싶은 악기별 학생 수

악기	피아노	바이올린	오카리나	합계
학생 수(명)	3	2	4	9

답 **피아노**

> **개념 피드백**
> • 자료를 보고 표로 나타낼 때에는 산가지(/////)나 '正'의 표시 방법을 이용합니다.
> • 주어진 자료의 수를 모두 더하면 합계와 같습니다

5-1 혜정이네 모둠 학생들이 하루 동안 컴퓨터를 한 시간을 조사하였습니다. 리라는 컴퓨터를 몇 시간 했을까요?

혜정이네 모둠 학생들이 하루 동안 컴퓨터를 한 시간

이름	시간	이름	시간	이름	시간
슬기	1시간	동호	3시간	혜정	1시간
현지	2시간	리라		예원	1시간
주희	3시간	서연	1시간	채민	3시간

혜정이네 모둠 학생들이 하루 동안 컴퓨터를 한 시간별 학생 수

시간	1시간	2시간	3시간	합계
학생 수(명)	4	1	4	9

❖ 자료에서 3시간은 주희, 동호, 채민이의 (**3시간**)
3명이고 표에서 3시간은 4명이므로 리라는 컴퓨터를
3시간 했습니다.

28 · Run- 2-2

★ 학생 수의 차 알아보기

6 영호네 반 학생들이 좋아하는 떡을 조사하여 표로 나타내었습니다. 인절미를 좋아하는 학생은 백설기를 좋아하는 학생보다 몇 명 더 많을까요?

영호네 반 학생들이 좋아하는 떡별 학생 수

떡	절편	백설기	가래떡	인절미	합계
학생 수(명)	3	5	4	7	19

답 **2명**

> **개념 피드백**
> • 자료의 수끼리의 차 구하기
> 주어진 자료의 수를 모두 더하면 합계와 같다는 것을 이용하여 구하려는 자료의 수를 알아봅니다.

❖ 3+4+7=14(명)이므로 백설기를 좋아하는 학생은
19-14=5(명)입니다. ➔ 7-5=2(명)

6-1 혜미네 반 학생 20명이 좋아하는 꽃을 조사하여 그래프로 나타내었습니다. 장미를 좋아하는 학생은 카네이션을 좋아하는 학생보다 몇 명 더 많을까요?

혜미네 반 학생들이 좋아하는 꽃별 학생 수

6	○			○
5	○	○		○
4	○	○		○
3	○	○	○	○
2	○	○	○	○
1	○	○	○	○
학생 수(명) / 꽃	장미	튤립	카네이션	백합

❖ ○의 수를 세어 보면 장미: 6명, (**3명**)
튤립: 5명, 백합: 6명이므로 6+5+6=17(명)입니다.
카네이션을 좋아하는 학생은 20-17=3(명)입니다.
➔ 6-3=3(명)

5. 표와 그래프 · 29

Test 교과서 서술형 연습

정답과 풀이 p.7

1 서윤이네 모둠 학생들이 한 달 동안 읽은 책의 수를 조사하여 표로 나타내었습니다. 수영이는 민정보다 몇 권 더 읽었는지 구해 보세요.

서윤이네 모둠 학생들이 한 달 동안 읽은 책의 수

이름	서윤	민정	지애	수영	민혁	합계
책의 수(권)	5	4	5		3	25

> **해결하기** 5+4+5+3= 17 (권)이므로 수영이가 읽은 책은
> 25 - 17 = 8 (권)입니다.
> 수영이는 민정이보다 책을 8 - 4 = 4 (권) 더 읽었습니다.
>
> **답 구하기** 4권

2 준서네 반 학생들이 한 달 동안 먹은 사과의 수를 조사하여 표로 나타내었습니다. 동현이는 준서보다 사과를 몇 개 더 먹었는지 구해 보세요.

준서네 모둠 학생들이 한 달 동안 먹은 사과의 수

이름	동현	재민	준서	희수	승민	합계
사과 수(개)		5	6	4	7	31

> **해결하기** 예 5+6+4+7=22(개)이므로 동현이가 한 달
> 동안 먹은 사과는 31-22=9(개)입니다.
> 동현이는 준서보다 사과를 9-6=3(개)
> 더 먹었습니다.
>
> **답 구하기** 3개

3 혜미네 반 학생들이 좋아하는 동물을 조사하여 표로 나타내었습니다. 다람쥐를 좋아하는 학생은 토끼를 좋아하는 학생보다 4명 더 많을 때 조사한 학생은 모두 몇 명인지 구해 보세요.

혜미네 반 학생들이 좋아하는 동물별 학생 수

동물	토끼	돼지	다람쥐	양	합계
학생 수(명)	4	6		5	

> **해결하기** 다람쥐를 좋아하는 학생은 4 + 4 = 8 (명)입니다.
> 조사한 학생은 모두 4+6+ 8 +5= 23 (명)입니다.
>
> **답 구하기** 23명

4 윤주네 반 학생들이 좋아하는 간식을 조사하여 표로 나타내었습니다. 피자를 좋아하는 학생은 김밥을 좋아하는 학생보다 3명 더 많을 때 조사한 학생은 모두 몇 명인지 구해 보세요.

윤주네 반 학생들이 좋아하는 간식별 학생 수

간식	김밥	치킨	핫도그	피자	합계
학생 수(명)	6	8	4		

> **채점하기** 예 피자를 좋아하는 학생은 6+3=9(명)입니다. 조사한 학생은 모두
> 6+8+4+9=27(명)입니다.
>
> **답 구하기** 27명

30 · Run- 2-2

5. 표와 그래프 · 31

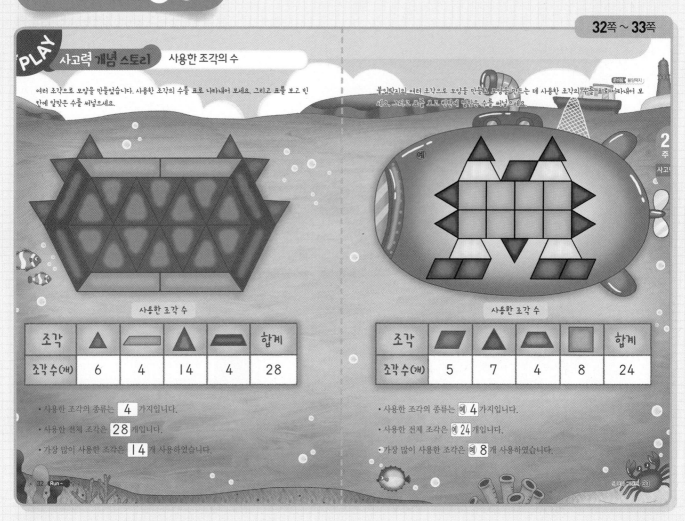

PLAY 사고력 개념 스토리 사용한 조각의 수

여러 조각으로 모양을 만들었습니다. 사용한 조각의 수를 표로 나타내어 보세요. 그리고 표를 보고 빈 칸에 알맞은 수를 써넣으세요.

사용한 조각 수

조각	▲	▱	△	▱	합계
조각 수(개)	6	4	14	4	28

- 사용한 조각의 종류는 4 가지입니다.
- 사용한 전체 조각은 28 개입니다.
- 가장 많이 사용한 조각은 14 개 사용하였습니다.

붙임딱지의 여러 조각으로 모양을 만들고, 모양을 만드는 데 사용한 조각의 수를 표로 나타내어 보세요. 그리고 표를 보고 빈칸에 알맞은 수를 써넣으세요.

사용한 조각 수

조각	▱	△	▱	□	합계
조각 수(개)	5	7	4	8	24

- 사용한 조각의 종류는 예 4 가지입니다.
- 사용한 전체 조각은 예 24 개입니다.
- 가장 많이 사용한 조각은 예 8 개 사용하였습니다.

PLAY 사고력 개념 스토리 케이크 완성하기

케이크 가게에서 케이크를 만들려고 합니다. 케이크 위에 알맞은 과일 붙임딱지나 채소 붙임딱지를 찾아 붙여서 맛있는 케이크를 완성해 보세요. 그리고 완성한 케이크를 보고 표와 그래프로 나타낸 뒤 알 수 있는 점을 써 보세요.

예

예 케이크를 만드는 데 사용한 과일이나 채소별 수

과일 (채소)							합계
수(개)	6	8	5	4	6	7	36

예 케이크를 만드는 데 사용한 과일이나 채소별 수

8		○				
7		○				○
6	○	○			○	○
5	○	○	○		○	○
4	○	○	○	○	○	○
3	○	○	○	○	○	○
2	○	○	○	○	○	○
1	○	○	○	○	○	○
수(개) / 과일(채소)	딸기	키위	파인애플	오렌지	체리	포도

알 수 있는 점 예 케이크를 만드는 데 사용한 과일(채소)별 학생 수를 알기 쉽습니다.
가장 많이(적게) 만든 과일이나 채소를 알 아보기 편리합니다.

단계 ① 교과 사고력 잡기

정답과 풀이 p.9

1 주어진 악보를 보고 물음에 답하세요.

❶ ㉠의 악보를 보고 표를 완성해 보세요.

음표 수

음표	♪	♩	♩.	♩	합계
음표 수(개)	4	5	2	1	12

❷ ㉡의 악보를 보고 표를 완성해 보세요.

음표 수

음표	♪	♩	♩.	♩	합계
음표 수(개)	5	4	1	2	12

❸ 음표 ♪가 더 많은 악보의 기호를 써 보세요.

(㉡)

❖ ㉠ 4개, ㉡ 5개이므로 ㉡이 더 많습니다.

36 · Run - 2-2

2 연경이네 학원 학생들이 좋아하는 채소를 조사하여 표로 나타내었습니다. 토마토를 좋아하는 학생이 오이를 좋아하는 학생보다 2명 더 많을 때 물음에 답하세요.

연경이네 학원 학생들이 좋아하는 채소별 학생 수

채소	당근	오이	양상추	토마토	합계
학생 수(명)	6	8	5	10	29

❶ 오이와 토마토를 좋아하는 학생은 모두 몇 명일까요?

(18명)

❖ 6+5=11(명) ➜ 29-11=18(명)

❷ 오이를 좋아하는 학생 수를 □라 하면 토마토를 좋아하는 학생 수를 식으로 나타내어 보세요.

(□+2)

❸ 오이를 좋아하는 학생은 몇 명일까요?

(8명)

❖ □+□+2=18 ➜ □+□=16 ➜ □=8(명)

❹ 토마토를 좋아하는 학생은 몇 명일까요?

(10명)

❖ 8+2=10(명)

5. 표와 그래프 · 37

단계 ① 교과 사고력 잡기

정답과 풀이 p.9

3 규현이네 모둠과 호동이네 모둠 학생들이 ○× 문제를 풀어 맞힌 문제 수를 그래프로 나타내었습니다. 물음에 답하세요.

규현이네 모둠 학생별 ○× 문제를 풀어 맞힌 문제 수

5			○
4	○		○
3	○		○
2	○		○
1	○	○	○
문제 수(문제) / 이름	규현	지원	민호

호동이네 모둠 학생별 ○× 문제를 풀어 맞힌 문제 수

5	○		
4	○		
3	○		○
2	○		○
1	○	○	○
문제 수(문제) / 이름	피오	호동	수근

❶ 호동이네 모둠이 맞힌 문제는 모두 몇 문제일까요?

(10문제)

❖ 5+2+3=10(문제)

❷ 규현이네 모둠과 호동이네 모둠이 맞힌 문제의 수가 같을 때 지원이는 몇 문제를 맞혔을까요?

(1문제)

❖ 규원이와 민호가 맞힌 문제는 4+5=9(문제)입니다.
➜ 10-9=1(문제)

❸ 피오는 지원이보다 몇 문제 더 맞혔을까요?

(4문제)

❖ 피오가 맞힌 문제 수: 5
지원이가 맞힌 문제 수: 1
➜ 5-1=4(문제)

38 · Run - 2-2

4 어느 해 12월 날씨를 조사하였습니다. 물음에 답하세요.

12월

일	월	화	수	목	금	토
		☃1	☀2	☀3	☂4	☀5
☂6	☀7	☁8	☁9	☁10	☁11	☃12
☁13	☂14	☀15	☀16	☃17	☂18	☀19
☀20	☁21	☃22	☁23	☂24	☁25	☁26
☂27	☁28	☃29	☁30	☃31		

☀: 맑은 날   ☁: 흐린 날   ☃: 눈 온 날   ☂: 비 온 날

❶ 12월 날씨별 날수를 조사하여 표로 나타내어 보세요.

12월 날씨별 날수

날씨	☀	☁	☃	☂	합계
날수(일)	7	8	6	10	31

❷ ❶의 표를 보고 ×를 이용하여 그래프로 나타내어 보세요.

12월 날씨별 날수

비 온 날	×	×	×	×	×	×	×	×	×	×
눈 온 날	×	×	×	×	×	×				
흐린 날	×	×	×	×	×	×	×	×		
맑은 날	×	×	×	×	×	×	×			
날씨 / 날수(일)	1	2	3	4	5	6	7	8	9	10

5. 표와 그래프 · 39

GO! 매쓰 Run- **C** 정답

2 단계 교과 **사고력 확장**

정답과 풀이 p.10

1 어느 해 3월의 날씨를 조사하여 표로 나타내었습니다. 물음에 답하세요.

3월의 날씨별 날수

날씨	맑음	흐림	안개	비	황사	합계
날수(일)	7	8	6	4	6	31

❶ 3월은 며칠까지 있을까요?

(**31일**)

❷ 안개가 낀 날은 며칠일까요?

(**6일**)

❖ 7+8+4+6=25(일)
➡ 31-25=6(일)

❸ ○를 이용하여 그래프로 나타내어 보세요.

3월의 날씨별 날수

8		○			
7		○			
6	○	○	○		○
5	○	○	○		○
4	○	○	○	○	○
3	○	○	○	○	○
2	○	○	○	○	○
1	○	○	○	○	○
날수(일) / 날씨	맑음	흐림	안개	비	황사

40 · Run-C 2-2

2 책상에 있는 학용품을 보고 표와 그래프를 각각 완성해 보세요.

책상에 있는 학용품 수

학용품	연필	지우개	필통	**가위**	풀	합계
수(개)	4	6	2	3	5	20

책상에 있는 학용품 수

7					
6		○			
5		○			○
4	○	○			○
3	○	○		○	○
2	○	○	○	○	○
1	○	○	○	○	○
수(개) / 학용품	연필	지우개	필통	**가위**	풀

5. 표와 그래프 · 41

2 단계 교과 **사고력 확장**

정답과 풀이 p.10

3 보연이네 학교 2학년 1반과 2반 학생들이 좋아하는 운동을 조사하여 그래프로 나타내었습니다. 1반과 2반의 학생 수가 같을 때 물음에 답하세요.

1반 학생들이 좋아하는 운동별 학생 수

7			△	
6			△	
5		△	△	
4	△	△	△	
3	△	△	△	△
2	△	△	△	△
1	△	△	△	△
학생 수(명) / 운동	농구	스키	축구	야구

2반 학생들이 좋아하는 운동별 학생 수

7				×
6				×
5		×		×
4		×		×
3		×		×
2	×	×	×	×
1	×	×	×	×
학생 수(명) / 운동	농구	스키	축구	야구

❶ 2반에서 축구를 좋아하는 학생은 몇 명일까요?

(**5명**)

❖ (1반 학생 수)=4+5+7+3=19(명)
2반에 축구를 뺀 운동을 좋아하는 학생은
5+2+7=14(명)입니다. ➡ 19-14=5(명)

❷ 축구를 좋아하는 1반 학생은 축구를 좋아하는 2반 학생보다 몇 명 더 많을까요?

(**2명**)

❖ 축구를 좋아하는 학생은 1반: 7명, 2반: 5명
➡ 7-5=2(명)

❸ 1반과 2반 학생들이 가장 좋아하는 운동은 무엇일까요?

❖ 운동별로 학생 수를 구합니다. (**축구**)

42 · Run- 농구: 4+5=9(명), 스키: 5+2=7(명),
축구: 7+5=12(명), 야구: 3+7=10(명)

4 주사위 2개를 동시에 20번 굴려서 나온 눈입니다. 물음에 답하세요.

주사위를 굴려서 나온 눈

3	0	5	2
3	2	1	4
2	1	5	3
4	3	3	4
0	4	3	0

❶ 주사위를 굴려서 나온 눈의 차의 횟수를 표로 나타내어 보세요.

나온 눈의 차의 횟수

눈의 차	0	1	2	3	4	5	합계
횟수(번)	4	5	4	3	3	1	20

❷ ❶의 표를 보고 그래프로 나타내어 보세요.

나온 눈의 차의 횟수

예	5		○			
	4	○	○	○		
	3	○	○	○	○	○
	2	○	○	○	○	○
	1	○	○	○	○	○
	횟수(번) / 눈의 차	0	1	2	3	4	5

❖ ○, ×, /, ∨ 등을 이용하여 한 칸에 하나씩 아래에서부터 구한 횟수만큼 그립니다.

5. 표와 그래프 · 43

③ 교과 사고력 완성

정답과 풀이 p.11

평가 영역 ☑개념 이해력 ☐개념 응용력 ☑창의력 ☐문제 해결력

1 채민이네 모둠 학생들이 8문제를 풀었을 때 맞힌 문제 수를 표로 나타내었습니다. 물음에 답하세요.

채민이네 모둠 학생들이 맞힌 문제 수

이름	건희	연우	채민	혁진	명철	합계
문제 수(문제)	4	2	3	6	5	20

❶ 학생들이 틀린 문제 수를 표로 나타내어 보세요.

채민이네 모둠 학생들이 틀린 문제 수

이름	건희	연우	채민	혁진	명철	합계
문제 수(문제)	4	6	5	2	3	20

$8-4=4$ $8-2=6$ $8-6=2$
$8-3=5$ $8-5=3$

❷ ❶에서 만든 표를 보고 ×를 이용하여 그래프로 나타내어 보세요.

채민이네 모둠 학생들이 틀린 문제 수

6		×			
5		×	×		
4	×	×	×		
3	×	×	×		×
2	×	×	×	×	×
1	×	×	×	×	×
문제 수(문제)／이름	건희	연우	채민	혁진	명철

평가 영역 ☐개념 이해력 ☑개념 응용력 ☑창의력 ☑문제 해결력

2 민지네 반 학생들이 한 달 동안 읽은 책의 수를 조사하여 그래프로 나타내었습니다. 물음에 답하세요.

민지네 반 학생들이 한 달 동안 읽은 책의 수

8		○		
7		○		
6	○	○		
5	○	○	○	
4	○	○	○	
3	○	○	○	○
2	○	○	○	○
1	○	○	○	○
학생 수(명)／책 수	0권	1권	2권	3권

책 읽기를 하면 문제 해결력과 사고력이 발달한대.

❶ 위의 그래프를 표로 나타내어 보세요.

민지네 반 학생들이 한 달 동안 읽은 책의 수

책 수	0권	1권	2권	3권	합계
학생 수(명)	6	8	5	3	22

❷ 민지네 반 학생들이 읽은 책은 모두 몇 권인지 구해 보세요.

(**27권**)

❖ · 0권을 읽은 학생이 6명이므로 $0 \times 6 = 0$(권)
· 1권을 읽은 학생이 8명이므로 $1 \times 8 = 8$(권)
· 2권을 읽은 학생이 5명이므로 $2 \times 5 = 10$(권)
· 3권을 읽은 학생이 3명이므로 $3 \times 3 = 9$(권)
➡ $0+8+10+9=27$(권)

Test 종합평가   5. 표와 그래프

맞은 개수

정답과 풀이 p.11

[1~3] 유정이네 반 학생들의 혈액형을 조사하였습니다. 물음에 답하세요.

유정이네 반 학생들의 혈액형

A형	B형	AB형	O형	A형
유정	동혁	승주	민지	혁진
O형	O형	A형	A형	B형
민희	승민	현서	하늘	연우
A형	AB형	A형	O형	AB형
현지	수연	효정	보영	혜주
B형	A형	AB형	A형	AB형
나래	성훈	민하	지용	태희

1 연우의 혈액형은 무엇일까요?

(**B형**)

❖ 연우를 찾아서 혈액형을 찾아보면 B형입니다.

2 자료를 보고 표로 나타내어 보세요.

유정이네 반 학생들의 혈액형별 학생 수

혈액형	A형	B형	AB형	O형	합계
학생 수(명)	8	3	5	4	20

❖ 빠트리거나 중복되지 않도록 표시하면서 세어 봅니다.
➡ $8+3+5+4=20$(명)

3 유정이네 반 학생은 모두 몇 명일까요?

(**20명**)

❖ 표에서 합계를 보면 20이므로
유정이네 반 학생은 모두 20명입니다.

[4~6] 수연이네 반 학생들이 타고 싶은 교통수단을 조사하여 표로 나타내었습니다. 물음에 답하세요.

수연이네 반 학생들이 타고 싶은 교통수단별 학생 수

교통수단	버스	배	비행기	기차	합계
학생 수(명)	2	4	7	5	18

4 그래프로 나타낼 때 가로와 세로에는 각각 어떤 것을 나타내는 것이 좋을까요?

가로 (예 **교통수단 종류**), 세로 (예 **학생 수**)

❖ 가로에 교통수단 종류, 세로에 학생 수를 나타냅니다.

5 표를 보고 ○를 이용하여 그래프로 나타내어 보세요.

수연이네 반 학생들이 타고 싶은 교통수단별 학생 수

7			○	
6			○	
5			○	○
4		○	○	○
3		○	○	○
2	○	○	○	○
1	○	○	○	○
학생 수(명)／교통수단	버스	배	비행기	기차

6 가장 많은 학생이 타고 싶은 교통수단은 무엇이고 몇 명일까요?

(**비행기**), (**7명**)

❖ 가장 많은 학생이 타고 싶은 교통수단은 그래프에서 ○의 수가 가장 많은 비행기이고 7명입니다.

est 종합평가 5. 표와 그래프

정답과 풀이 p.12

[7~8] 보미네 반 학생들이 좋아하는 음식을 조사하여 표로 나타내었습니다. 물음에 답하세요.

보미네 반 학생들이 좋아하는 음식별 학생 수

음식	갈비찜	잡채	김치찌개	계란찜	합계
학생 수(명)	8	5	7	6	26

7 학생들이 좋아하는 음식 종류는 몇 가지일까요?

(**4가지**)

❖ 갈비찜, 잡채, 김치찌개, 계란찜으로 4가지입니다.

8 김치찌개를 좋아하는 학생은 몇 명일까요?

(**7명**)

❖ 8+5+6=19(명)
➜ 26-19=7(명)

9 정우네 반 학생들이 좋아하는 과일을 조사하여 표로 나타내었습니다. 오렌지를 좋아하는 학생은 포도를 좋아하는 학생보다 5명 더 많을 때 조사한 학생은 모두 몇 명인지 구해 보세요.

정우네 반 학생들이 좋아하는 과일별 학생 수

과일	사과	오렌지	복숭아	포도	합계
학생 수(명)	6	9	5	4	24

(**24명**)

❖ (오렌지를 좋아하는 학생 수)=4+5=9(명)
➜ (조사한 학생 수)=6+9+5+4=24(명)

48 · Run · 2-2

[10~11] 동건이네 반 학생들이 좋아하는 아이스크림의 맛을 조사하여 표로 나타내었습니다. 물음에 답하세요.

동건이네 반 학생들이 좋아하는 아이스크림 맛별 학생 수

아이스크림 맛	초콜릿 맛	딸기 맛	바닐라 맛	멜론 맛	합계
학생 수(명)	9	6	4	3	22

10 바닐라 맛을 좋아하는 학생은 몇 명일까요?

(**4명**)

❖ 9+6+3=18(명)
➜ 22-18=4(명)

11 표를 보고 ×를 이용하여 그래프로 나타내어 보세요.

동건이네 반 학생들이 좋아하는 아이스크림 맛별 학생 수

학생 수(명)	초콜릿 맛	딸기 맛	바닐라 맛	멜론 맛
9	×			
8	×			
7	×			
6	×	×		
5	×	×		
4	×	×	×	
3	×	×	×	×
2	×	×	×	×
1	×	×	×	×

5. 표와 그래프 · 49

est 종합평가 5. 표와 그래프

정답과 풀이 p.12

[12~13] 준영이네 반 학급 문고에 있는 종류별 책 수를 조사하여 표와 그래프로 나타내었습니다. 물음에 답하세요.

준영이네 반 학급 문고에 있는 종류별 책 수

종류	동화책	위인전	시집	과학책	합계
책 수(권)	5	6	3	4	18

준영이네 반 학급 문고에 있는 종류별 책 수

책 수(권)	동화책	위인전	시집	과학책
6		△		
5	△	△		
4	△	△		△
3	△	△	△	△
2	△	△	△	△
1	△	△	△	△

12 표와 그래프를 각각 완성해 보세요.

❖ 그래프에서 △의 수를 세어 보면
위인전: 6권, 시집: 3권이므로 동화책을 뺀 책 수의 합은
6+3+4=13(권)입니다.
➜ 동화책: 18-13=5(권)

13 학급 문고에 있는 동화책은 시집보다 몇 권 더 많을까요?

(**2권**)

❖ 5-3=2(권)

50 · Run · 2-2

특강 창의·융합 사고력

정답과 풀이 p.12

1 어느 해 1년 동안의 공휴일을 조사하였습니다. 자료를 보고 표와 그래프로 각각 나타내어 보세요.

1월	2월	3월	4월
신정: 1일 일요일: 4일 설날 연휴: 2일	일요일: 4일	일요일: 5일	일요일: 4일 선거날: 1일 부처님 오신 날: 1일

5월	6월	7월	8월
일요일: 5일 어린이날: 1일	현충일: 1일 일요일: 4일	일요일: 4일	일요일: 5일 광복절: 1일

9월	10월	11월	12월
일요일: 4일 추석 연휴: 1일	일요일: 4일 추석 연휴: 3일 한글날: 1일	일요일: 5일	일요일: 4일 크리스마스: 1일

월별 공휴일 수

월	1	2	3	4	5	6	7	8	9	10	11	12	합계
공휴일 수(일)	7	4	5	6	6	5	4	6	5	8	5	5	66

월별 공휴일 수

5. 표와 그래프 · 51

6 규칙 찾기

한국의 멋 문살

문이란 고정된 건축물 중에서 유일하게 움직이는 것이에요. 안과 밖을 잇는 소통의 연결 고리이자
너머의 공간을 구분 짓는 경계이기도 해요.
그리하여 우리 조상들은 문살의 모양으로 건물의 성격을 나타내었고, 문살에 온 정성을 기울였어요.
그럼 다양한 짜임새의 문살에는 어떤 것들이 있는지 알아볼까요?

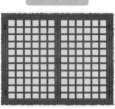

빗살 무늬

솟을 빗살 무늬

꽃살 무늬

규칙을 찾아 창문을 완성해 보세요.

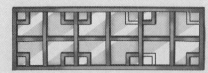

규칙을 만들어 창문을 완성해 보세요.

예
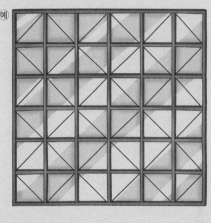

1단계 교과서 개념 잡기

개념 확인 문제

정답과 풀이 p.13

개념 1 덧셈표에서 규칙 찾기

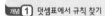
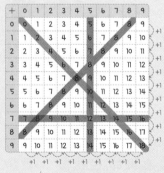

- ■■■으로 칠해진 수는 아래쪽으로 내려갈수록 1씩 커지는 규칙이
있습니다.
- ■■■으로 칠해진 수는 오른쪽으로 갈수록 1씩 커지는 규칙이 있습
니다.
- ■■■으로 칠해진 수는 ↘ 방향으로 갈수록 2씩 커지는 규칙이 있습
니다.
- ■■■으로 칠해진 수는 같은 수들이 있는 규칙이 있습니다.

같은 줄에서 아래쪽으로
내려갈수록, 오른쪽으로
갈수록 1씩 커지네.

같은 줄에서 위쪽으로
올라갈수록, 왼쪽으로
갈수록 1씩 작아지기도 해.

1-1 덧셈표를 보고 □ 안에 알맞은 수를 써넣으세요.

+	1	2	3	4	5	6
1	2	3	4	5	6	7
2	3	4	5	6	7	8
3	4	5	6	7	8	9
4	5	6	7	8	9	10
5	6	7	8	9	10	11
6	7	8	9	10	11	12

(1) 같은 줄에서 오른쪽으로 갈수록 ☐1☐ 씩 커지는 규칙이 있습니다.

(2) 같은 줄에서 아래쪽으로 내려갈수록 ☐1☐ 씩 커지는 규칙이 있습니다.

1-2 덧셈표를 보고 물음에 답하세요.

(1) 빈칸에 알맞은 수를 써넣으세요.

(2) ■■■으로 칠해진 수는 ↘ 방향으로 갈수록 몇씩 작아지는 규칙일
까요?

❖ 20 → 16 → 12 → 8 → 4로 4씩   (4   )
작아지는 규칙이 있습니다.

1 교과서 개념 잡기

개념 2 곱셈표에서 규칙 찾기

- ■■■으로 칠해진 수는 오른쪽으로 갈수록 **3**씩 커지는 규칙이 있습니다.
- 점선을 따라 접었을 때 만나는 수는 서로 같습니다.
- ■■■으로 칠해진 수는 아래쪽으로 내려갈수록 **6**씩 커지는 규칙이 있습니다.
- ■■■으로 칠해진 수는 왼쪽으로 갈수록 **7**씩 작아지는 규칙이 있습니다.
- ■■■으로 칠해진 수는 위쪽으로 올라갈수록 **2**씩 작아지는 규칙이 있습니다.

각 단의 수는 아래쪽으로 내려갈수록 단의 수만큼 커지네.

오른쪽으로도 갈수록 단의 수만큼 커져.

개념 확인 문제

정답과 풀이 p.14

2-1 곱셈표를 보고 물음에 답하세요.

×	1	2	3	4	5
1	1	2	3	4	5
2	2	4	6	8	10
3	3	6	9	12	15
4	4	8	12	16	20
5	5	10	15	20	25

(1) ■■■으로 칠해진 수는 오른쪽으로 갈수록 몇씩 커지는 규칙이 있을까요?

(**2**)

(2) ■■■으로 칠해진 수는 아래쪽으로 내려갈수록 몇씩 커지는 규칙이 있을까요?

(**4**)

❖ (1) 2, 4, 6, 8, 10으로 2씩 커지는 규칙이 있습니다.
(2) 4, 8, 12, 16, 20으로 4씩 커지는 규칙이 있습니다.

2-2 곱셈표를 보고 물음에 답하세요.

×	2	4	6	8
2	4	8	12	16
4	8	16	24	32
6	12	24	36	48
8	16	32	48	64

(1) 빈칸에 알맞은 수를 써넣으세요.
(2) 알맞은 말에 ○표 하세요.

곱셈표에 있는 수들은 모두 (홀수 , (짝수))입니다.

---

1 교과서 개념 잡기

개념 3 무늬에서 규칙 찾기

- 파란색, 빨간색, 초록색이 반복되는 규칙입니다.
- ↘ 방향으로 똑같은 색이 반복되고 있습니다.

- △●■가 반복되는 규칙입니다.
- ↘ 방향으로 똑같은 모양이 반복되고 있습니다.

- 파란색 구슬 2개와 빨간색 구슬 1개가 반복되는 규칙입니다.

- 흰 꽃, 잎, 빨간 꽃, 잎이 반복됩니다.
- ↘ 방향으로 보면 잎이 같은 줄에 있는 규칙이 있습니다.

개념 확인 문제

정답과 풀이 p.14

3-1 규칙을 찾아 완성해 보세요.

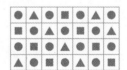

규칙 ●, ▲, ●, ■가 반복되는 규칙입니다.

3-2 규칙을 찾아 □ 안에 알맞은 모양을 그려 넣으세요.

(1) ●▲■●▲■●▲■●▲ (△) ■●▲

(2) ▼■●▼■●▼■● (●) ▼

❖ (1) ●▲■가 반복되는 규칙입니다. ●다음에는 ▲가 옵니다.
(2) ▼■●가 반복되는 규칙입니다. ■다음에는 ●가 옵니다.

3-3 규칙을 찾아 알맞게 색칠해 보세요.

(1)
(2)

❖ (1) 노란색, 초록색, 주황색, 보라색이 반복되는 규칙입니다.
초록색 다음에는 주황색, 그 다음에는 보라색을 칠합니다.

(2) 분홍색과 파란색이 반복되고 파란색의 수가 하나씩 커지는 규칙이므로 빈 곳에는 파란색을 칠합니다.

1 단계 교과서 개념 잡기

개념 확인 문제

정답과 풀이 p.15

개념 4 쌓은 모양에서 규칙 찾기

- 「 가 모양으로 쌓는 규칙입니다.
- 쌓기나무가 오른쪽에 1개, 왼쪽에 1개씩 늘어나는 규칙입니다.
- 전체적으로 쌓기나무가 2개씩 늘어나는 규칙입니다.

- 다음에 이어질 모양은　　　　　입니다.

개념 5 생활에서 규칙 찾기

3월

일	월	화	수	목	금	토
			1	2	3	4
5	6	7	8	9	10	11
12	13	14	15	16	17	18
19	20	21	22	23	24	25
26	27	28	29	30	31	

- 모든 요일은 7일마다 반복되는 규칙이 있습니다.
- 가로로 1씩 커지는 규칙이 있습니다.
- 세로로 7씩 커지는 규칙이 있습니다.

참고 생활 속에서 찾을 수 있는 규칙
- 계절이 봄, 여름, 가을, 겨울로 규칙적으로 변합니다.
- 터미널 버스 시간표에도 규칙이 있습니다.
- 경기장의 좌석 번호, 학교 사물함 번호에도 규칙이 있습니다.

60 · Run - 2-2

4-1 다음과 같은 모양으로 쌓기나무를 쌓았습니다. 쌓은 규칙을 완성해 보세요.

개념 쌓기나무를 [2]층, [3]층이 반복되게 쌓았습니다.

4-2 규칙에 따라 쌓기나무를 쌓았습니다. □ 안에 알맞은 수를 써넣으세요.

(1) 쌓기나무가 [2]개씩 늘어나는 규칙입니다.

(2) 다음에 이어질 모양에 쌓을 쌓기나무는 모두 [8]개입니다.

❖ (1) 쌓기나무가 2개—4개—6개이므로 2개씩 늘어나는 규칙입니다.

(2) 다음에 이어질 모양에 쌓을 쌓기나무는 6개에서 2개 늘어난 8개입니다.

5 달력을 보고 □ 안에 알맞은 수를 써넣으세요.

10월

일	월	화	수	목	금	토
					1	2	3
4	5	6	7	8	9	10
11	12	13	14	15	16	17
18	19	20	21	22	23	24
25	26	27	28	29	30	31

→ 가로로 1씩 커집니다.

(1) 가로로 [1] 씩 커지는 규칙이 있습니다.

(2) 모든 요일은 [7] 일마다 반복되는 규칙이 있습니다.

❖ (2) 일주일이 7일이므로 모든 요일은 7일마다 반복됩니다.

6. 규칙 찾기 · 61

PLAY 교과서 개념 스토리 모양 퍼즐 맞추기

준비물 붙임딱지

가운데에 있는 퍼즐 나침반의 규칙에 알맞은 퍼즐 붙임딱지를 찾아 붙여 보세요.

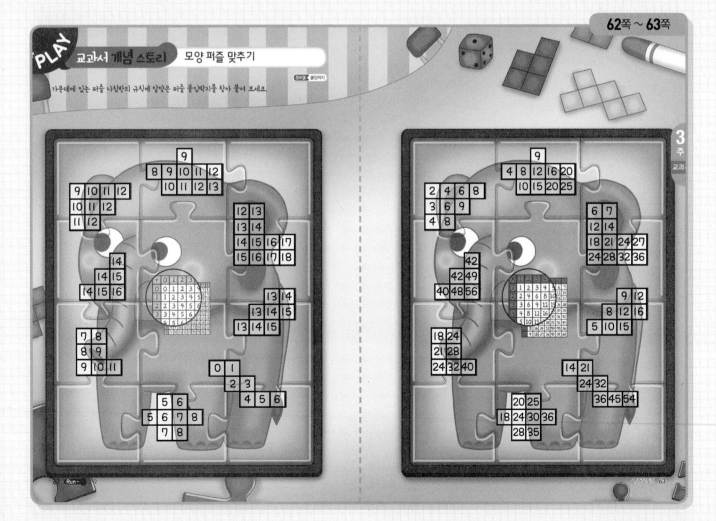

62 Run - 2-2

63

정답과 풀이 · 15

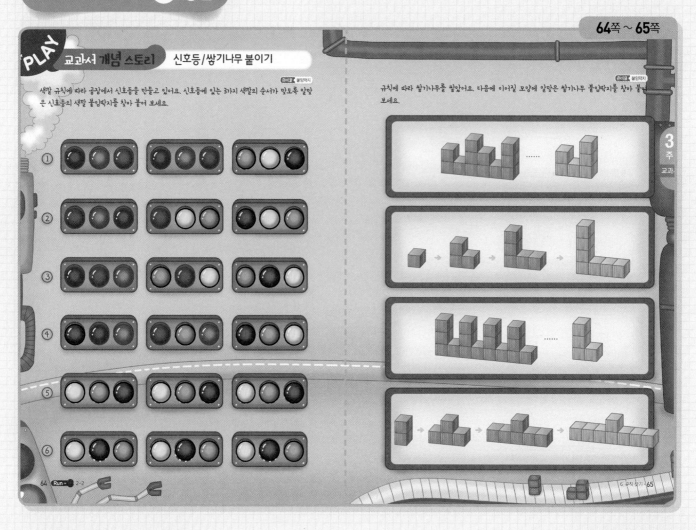

PLAY 교과서 개념 스토리 │ 신호등/쌓기나무 붙이기

색깔 규칙에 따라 공장에서 신호등을 만들고 있어요. 신호등에 있는 3가지 색깔의 순서가 맞도록 알맞은 신호등의 색깔 붙임딱지를 찾아 붙여 보세요.

규칙에 따라 쌓기나무를 쌓았어요. 다음에 이어질 모양에 알맞은 쌓기나무 붙임딱지를 찾아 붙여 보세요.

64 Run- C 2-2

6. 규칙 찾기 · 65

② 교과서 개념 다지기

정답과 풀이 p.16

개념 1 덧셈표에서 규칙 찾기

[01~02] 덧셈표를 보고 물음에 답하세요.

+	0	2	4	6	8
0	0	2	4	6	8
2	2		6	8	10
4	4	6		10	
6	6		10	12	14
8	10	12	14	16	

01 빈칸에 알맞은 수를 써넣으세요.

02 알맞은 것에 ○표 하세요.

(1) ▨▨으로 칠해진 수는 ↘ 방향으로 갈수록 (2 , ④)씩 커지는 규칙이 있습니다.

(2) ↙ 방향으로 (같은), 다른) 수들이 있는 규칙이 있습니다.

❖ (1) 0 - 4 - 8 - 12 - 16 ➡ 4씩 커집니다.
  (2) 8 - 8 - 8 - 8 - 8 ➡ 같은 수입니다.

03 빈칸에 알맞은 수를 써넣으세요.

(1)
+	1	3	5	7
1	2	4	6	8
3	4	6	8	10
5	6	8	10	12
7	8	10	12	14

(2)
+	0	1	2	3
0	0	1	2	3
1	1	2	3	4
2	2	3	4	5
3	3	4	5	6

❖ 색칠한 부분의 가로와 세로의 수를 더하여 두 수가 만나는 곳에 써넣습니다.

개념 2 곱셈표에서 규칙 찾기

[04~05] 곱셈표를 보고 물음에 답하세요.

×	1	3	5	7	9
1	1	3	5	7	9
3	3	9	15	21	27
5	5	15	25	35	45
7	7	21	35	49	63
9	9	27	45	63	81

04 빈칸에 알맞은 수를 써넣으세요.

05 알맞은 말에 ○표 하세요.

곱셈표에 있는 수들은 모두 (짝수 , (홀수))입니다.

06 규칙을 찾아 빈칸에 알맞은 수를 써넣으세요.

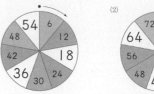

(1) 6단 곱셈구구에 있는 수: 54, 6, 12, 18, 24, 30, 36, 42, 48

(2) 8단 곱셈구구에 있는 수: 72, 8, 16, 24, 32, 40, 48, 56, 64

❖ (1) 6단 곱셈구구에 있는 수입니다.
  (2) 8단 곱셈구구에 있는 수입니다.

66 · Run- C 2-2

6. 규칙 찾기 · 67

② 교과서 개념 다지기

개념 3 무늬에서 규칙 찾기 (1)

07 규칙을 찾아 □ 안에 알맞게 색칠해 보세요.

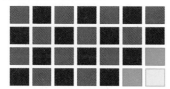

✿ 초록색과 노란색이 반복되는 규칙입니다.

08 그림을 보고 규칙을 찾아 빈 곳에 알맞은 모양을 그려 보세요.

✿ 공이 2개, 4개, 6개로 2개씩 늘어나는 규칙입니다.
빈 곳에는 6개보다 2개 늘어난 8개를 그립니다.

09 규칙을 정해 구슬을 실에 끼우고 있습니다. 다음에는 어떤 색의 구슬을 끼워야 하는지 써 보세요.

(**파란색**)

✿ 분홍색 구슬과 파란색 구슬이 반복되고 파란색 구슬의 수가 하나씩 커지는 규칙입니다. 따라서 다음에 끼워야 하는 구슬은 파란색입니다.

---

② 교과서 개념 다지기

개념 4 무늬에서 규칙 찾기 (2)

10 규칙을 찾아 도형을 알맞게 색칠해 보세요.

✿ 삼각형에서 색칠한 부분을 시계 방향으로 돌려 가며 그린 규칙입니다.

✿ (1) ●▲◇가 반복되는 규칙입니다. ▲ 다음에는 ◇가 들어갑니다.

11 규칙을 찾아 □ 안에 알맞은 모양을 그려 보세요.

(1)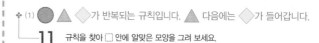

(2)

(2) □와 ♡가 반복되고, 보라색, 파란색, 노란색이 반복되는 규칙이 있습니다. ♡ 다음에는 □가 와야 하고, 파란색 다음에는 노란색이 와야 하므로 □ 안에 □가 들어갑니다.

12 창문의 모양에서 규칙을 찾아 알맞은 모양을 그려 보세요.

✿ □를 시계 방향으로 돌려 가며 놓은 규칙입니다.

---

② 교과서 개념 다지기

개념 5 쌓은 모양에서 규칙 찾기

13 다음과 같은 모양으로 쌓기나무를 쌓았습니다. 알맞은 것에 ○표 하여 쌓은 규칙을 완성해 보세요.

한 층 올라갈수록 쌓기나무가 (1 ②)개씩 (줄어들고, 늘어나고) 있습니다.

✿ 쌓기나무를 서로 엇갈리지 않게 쌓았습니다. 위층으로 올라갈수록 쌓기나무가 2개씩 줄어듭니다.

14 규칙에 따라 쌓기나무를 쌓았습니다. 다음에 이어질 모양에 쌓을 쌓기나무는 모두 몇 개일까요?

(**6개**)

✿ 쌓기나무 3개, 4개, 5개……로 쌓고 있습니다. 쌓기나무가 1개씩 늘어나는 규칙입니다. 따라서 다음에 이어질 모양에 쌓을 쌓기나무는 5+1=6(개)입니다.

15 규칙에 따라 쌓기나무를 쌓아 갈 때 □ 안에 놓을 쌓기나무는 몇 개일까요?

(**4개**)

✿ 쌓기나무가 4개, 5개인 모양이 반복되는 규칙입니다. □ 안에는 5개 모양 다음인 4개 모양을 놓아야 합니다.

---

② 교과서 개념 다지기

개념 6 생활에서 규칙 찾기

16 버스 출발 시간표에서 찾을 수 있는 규칙을 완성해 보세요.

버스 출발 시간표
1시 20분
1시 35분
1시 50분
2시 5분

➔ 버스는 15 분마다 출발합니다.

✿ 1시 20분 —15분 후→ 1시 35분 —15분 후→ 1시 50분 —15분 후→ 2시 5분

17 규칙을 찾아 시곗바늘을 알맞게 그려 보세요.

✿ 30분씩 지나는 규칙이므로 6시에서 30분 지난 6시 30분을 그립니다.

18 컴퓨터 자판의 수에 있는 규칙을 찾아 써 보세요.

예 같은 줄에서 오른쪽으로 갈수록 1씩 커지는 규칙이 있습니다.

✿ 같은 줄에서 아래쪽으로 내려갈수록 3씩 작아지는 규칙이 있습니다.

③ 단계 교과서 실력 다지기

정답과 풀이 p.18

★ 덧셈표에서 규칙을 찾아 빈칸 채우기

1 덧셈표에서 규칙을 찾아 빈칸에 알맞은 수를 써넣으세요.

위 덧셈표에서 규칙 찾기
- 같은 줄에서 아래쪽으로 내려갈수록 1씩 커집니다.
- 같은 줄에서 오른쪽으로 갈수록 1씩 커집니다.

✤ 오른쪽으로 갈수록 1씩 커지고, 아래쪽으로 내려갈수록 1씩 커집니다.

1-1 위 1의 덧셈표에서 규칙을 찾아 빈칸에 알맞은 수를 써넣으세요.

✤ 오른쪽으로 갈수록 1씩 커지고, 아래쪽으로 내려갈수록 1씩 커집니다.

★ 곱셈표에서 규칙을 찾아 빈칸 채우기

2 곱셈표에서 규칙을 찾아 빈칸에 알맞은 수를 써넣으세요.

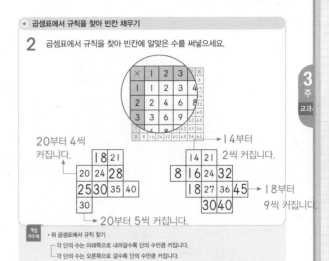

위 곱셈표에서 규칙 찾기
- 각 단의 수는 아래쪽으로 내려갈수록 단의 수만큼 커집니다.
- 각 단의 수는 오른쪽으로 갈수록 단의 수만큼 커집니다.

2-1 위 2의 곱셈표에서 규칙을 찾아 빈칸에 알맞은 수를 써넣으세요.

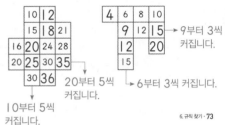

---

③ 단계 교과서 실력 다지기

정답과 풀이 p.18

★ 규칙을 찾아 도형 그리고 색칠하기

3 규칙적으로 도형을 그린 것입니다. 규칙을 찾아 □ 안에 알맞은 도형을 그리고 색칠해 보세요.

- 모양이 어떻게 반복되는지 찾아봅니다.
- 색깔이 어떻게 반복되는지 찾아봅니다.

✤ 바깥쪽과 안쪽의 모양이 서로 바뀌는 규칙입니다. 바깥쪽은 파란색, 안쪽은 노란색입니다.

3-1 규칙적으로 도형을 그린 것입니다. 규칙을 찾아 □ 안에 알맞은 도형을 그리고 색칠해 보세요.

✤ 바깥쪽은 □, ○, △가 반복되고, 가운데는 △, □, ○가 반복되고, 안쪽은 ○, △, □가 반복되는 규칙입니다.
색깔은 바깥쪽은 초록색, 가운데는 노란색, 안쪽은 주황색입니다.

3-2 규칙적으로 도형을 그린 것입니다. 규칙을 찾아 □ 안에 알맞은 도형을 그리고 색칠해 보세요.

✤ 바깥쪽은 ○, □, △가 반복되고, 가운데는 □, △, ○가 반복되고, 안쪽은 △, ○, □가 반복되는 규칙입니다.
색깔은 바깥쪽은 노란색, 가운데는 초록색, 안쪽은 파란색입니다.

★ 쌓기나무의 수 구하기

4 규칙에 따라 쌓기나무를 쌓았습니다. 쌓기나무를 4층으로 쌓으려면 쌓기나무는 모두 몇 개 필요할까요?

답 10개

- 쌓기나무의 수에서 규칙을 찾아봅니다.
- 쌓기나무를 쌓은 모양에서 규칙을 찾아봅니다.

✤ 쌓기나무가 2개, 3개……씩 늘어나는 규칙이므로 4층으로 쌓으려면 쌓기나무는 모두 1+2+3+4=10(개) 필요합니다.

4-1 규칙에 따라 쌓기나무를 쌓았습니다. 쌓기나무를 4층으로 쌓으려면 쌓기나무는 모두 몇 개 필요할까요?

✤ 한 층씩 늘어나고, 아래로 내려가면서 쌓기나무 (18개)가 바로 위층보다 1개씩 늘어나는 규칙입니다. 따라서 4층으로 쌓으려면 쌓기나무는 모두 3+4+5+6=18(개) 필요합니다.

4-2 규칙에 따라 쌓기나무를 쌓았습니다. 쌓기나무를 4층으로 쌓으려면 쌓기나무는 모두 몇 개 필요할까요?

✤ 한 층씩 늘어나고, 아래로 내려가면서 쌓기나무 (20개)가 바로 위층보다 2개씩 늘어나는 규칙입니다. 따라서 4층으로 쌓으려면 쌓기나무는 모두 2+4+6+8=20(개) 필요합니다.

③ 교과서 실력 다지기

★ 달력의 일부 활용하기

5 달력을 보고 이달의 넷째 목요일은 며칠인지 구해 보세요.

♠ 1월 ♠
일	월	화	수	목	금	토
		1	2	3	4	5

답 **24일**

개념 피드백 · 달력에서 규칙 찾기 · 모든 요일은 7일마다 반복되는 규칙이 있습니다.
· 가로로 |씩, 세로로 7씩 커지는 규칙이 있습니다.

❖ 일주일은 7일입니다. (같은 요일은 7일마다 반복됩니다.)
첫째 목요일은 3일, 둘째 목요일은 |0일, 셋째 목요일은
|7일, 넷째 목요일은 24일입니다.

5-1 달력을 보고 이달의 28일은 무슨 요일인지 구해 보세요.

♠ 6월 ♠
일	월	화	수	목	금	토
				1	2	3

(**수요일**)

❖ 28-7=2|(일) ➡ 2|-7=|4(일) ➡ |4-7=7(일)
28일은 7일과 같은 수요일입니다.

5-2 달력을 보고 이달의 토요일은 몇 번 있는지 구해 보세요.

♠ 4월 ♠
일	월	화	수	목	금	토
					1	2

❖ 토요일은 2일, 9일, |6일, 23일, (**5번**)
30일로 모두 5번입니다.

76 · Run · 2-2

★ □번째에 놓일 모양 찾기

6 규칙을 찾아 |5번째에 놓일 학용품은 무엇인지 써 보세요.

→7번째

❖ 연필, 지우개, 가위가 반복되는 규칙입니다. 예 **가위**

연필	지우개	가위
7번째	8번째	9번째
|0번째	||번째	|2번째
|3번째	|4번째	|5번째

➡ |5번째에 놓일
학용품은 가위입니다.

6-1 규칙을 찾아 |7번째에 놓일 동물은 무엇인지 써 보세요.

→9번째

❖ 고양이, 병아리, 병아리, 돼지가 반복되는 규칙입니다. (**고양이**)

고양이	병아리	돼지
9번째	|0, ||번째	|2번째
|3번째	|4, |5번째	|6번째
|7번째		

|7번째에 놓일 ←
동물은 고양이입
니다.

꽃이 20번째에 놓일 물건은 무엇인지 써 보세요.
→8번째

 컵

꽃병

(**컵**)

❖ 접시, 컵, 꽃병이 반복됩니다.

접시	컵	꽃병
7번째	8번째	9번째
|0번째	||번째	|2번째
|3번째	|4번째	|5번째
|6번째	|7번째	|8번째
|9번째	20번째	

➡ 20번째에 놓일
물건은 컵입니다.

6. 규칙 찾기 · 77

Test 교과서 서술형 연습

1 어느 공연장의 자리를 나타낸 그림입니다. 진주의 자리는 라열 세 번째입니다.
진주가 앉을 의자의 번호는 몇 번인지 구해 보세요.

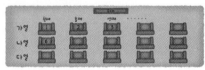

해결하기 의자 번호가 가로는 **1** 씩, 세로는 **5** 씩 커지는 규칙입니다.

나열 세 번째가 8번, 다열 세 번째가 |3번이므로 라열 세 번째는 **18** 번
입니다.

답 구하기 **18번**

❖ 3 → 8 → |3 → 18

2 어느 영화관의 자리를 나타낸 그림입니다. 민서의 자리는 마열 네 번째입니다.
민서가 앉을 의자의 번호는 몇 번인지 구해 보세요.

채점하기 예 **의자 번호가 가로는 |씩, 세로는 8씩 커지**
는 규칙입니다. 가열 네 번째가 4번이므로
마열 네 번째는 답 구하기 **36번**
4 → |2 → 20 → 28 → 36번입니다.

78 · Run · 2-2

3 규칙에 따라 쌓기나무를 쌓았습니다. 여섯 번째 모양까지 쌓을 쌓기나무는 모
두 몇 개인지 구해 보세요.

해결하기 쌓기나무 **2** 개로 쌓은 모양과 **4** 개로 쌓은 모양이 반복되는 규칙입니다.

따라서 여섯 번째 모양까지 쌓을 쌓기나무는 모두

2+4+ **2** + **4** + **2** + **4** = **18** 개입니다.

답 구하기 **18개**

❖ 2+4+2+4+2+4=|8(개)

4 규칙에 따라 쌓기나무를 쌓았습니다. 네 번째 모양까지 쌓을 쌓기나무는 모두
몇 개인지 구해 보세요.

채점하기 예 **첫 번째 모양은 쌓기나무 3개, 두 번째는**
4개, 세 번째는 5개이므로 쌓기나무가
|개씩 늘어나는 규칙입니다.
따라서 네 번째 답 구하기 **|8개**
모양까지 쌓을 쌓기나무는 모두
3+4+5+6=|8(개)입니다.

6. 규칙 찾기 · 79

PLAY 사고력 개념 스토리   계단 완성하기

신데렐라가 왕자를 만나기 위해서는 규칙에 따라 완성된 계단을 올라가야 해요. 신데렐라가 집으로 돌아가지 않고 왕자를 만날 수 있도록 알맞은 붙임딱지를 찾아 붙여 계단을 완성해 보세요.

✿ 위의 두 수를 더하여 아래 왼쪽에 써넣는 규칙이 있습니다.

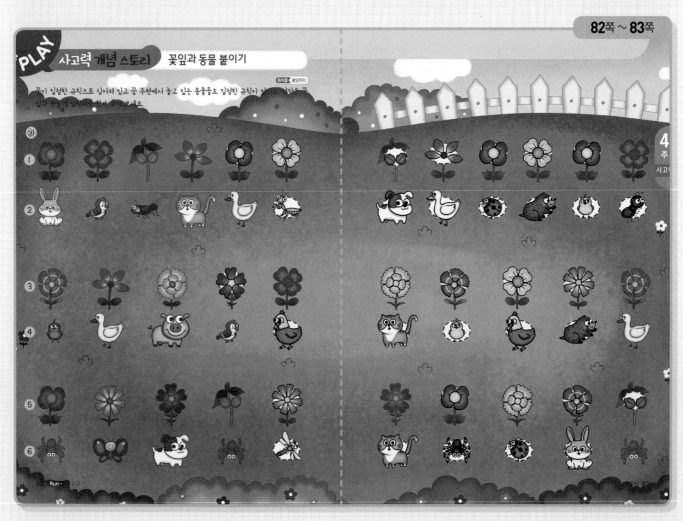

PLAY 사고력 개념 스토리   꽃잎과 동물 붙이기

꽃이 일정한 규칙으로 심어져 있고 꽃 주변에서 놀고 있는 동물들도 일정한 규칙이 있어요. 알맞은 꽃잎과 동물을 붙임딱지에서 찾아 붙여 보세요.

① 단계 교과 사고력 잡기

1 다음 덧셈표에서 ▨▨으로 칠해진 수의 합을 구해 보세요.

①

(20   )

❖ 0+2+4+6+8=20

②

(50   )

❖ 10+10+10+10+10=50

2 어느 공연장의 자리를 나타낸 그림입니다. 물음에 답하세요.

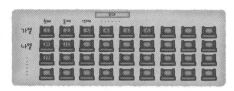

❶ 진영이의 자리는 라열 다섯 번째입니다. 진영이가 앉을 의자의 번호는 몇 번일까요?

(32번   )

❖ 공연장 의자 번호는 세로로 9씩 커집니다. 가열 다섯 번째 자리가 5번이므로 라열 다섯 번째는 5+9+9+9=32(번)입니다.

❷ 가은이의 자리는 마열 세 번째입니다. 가은이가 앉을 의자의 번호는 몇 번일까요?

(39번   )

❖ 가열 세 번째 자리가 3번이므로
3+9+9+9+9=39(번)입니다.

❸ 지수의 자리는 44번입니다. 어느 열 몇 번째 자리일까요?

(마열 여덟 번째   )

❖ 44-9-9-9-9=8(번)이므로 마열 여덟 번째 자리입니다.

---

① 단계 교과 사고력 잡기

3 소영이는 쌓기나무 24개를 사용하여 규칙에 따라 다음과 같이 쌓기나무를 쌓았습니다. 쌓기나무를 4층으로 쌓고 남은 쌓기나무는 몇 개인지 구해 보세요.

❶ 한 층 내려갈수록 쌓기나무가 몇 개씩 늘어날까요?

(2개   )

❖ 쌓기나무가 2개, 4개, 6개……로 한 층 내려갈수록 2개씩 늘어납니다.

❷ 4층으로 쌓을 때 필요한 쌓기나무는 모두 몇 개일까요?

(20개   )

❖ 2+4+6+8=20(개)

❸ 4층으로 쌓고 남은 쌓기나무는 몇 개일까요?

(4개   )

❖ 24-20=4(개)

4 다음 덧셈표를 보고 물음에 답하세요.

+	2	4	㉠	8
4	6	8	10	12
6	8	10	12	14
㉡	10	12	14	㉢
㉣	12	14	16	18

❶ ㉠, ㉡, ㉢, ㉣에 알맞은 수를 각각 구해 보세요.

㉠ (6   ), ㉡ (8   ),
㉢ (16   ), ㉣ (10   )

❖ 6+㉠=12 ➡ ㉠=6
㉡+2=10 ➡ ㉡=8
㉢=8+8=16
㉣+2=12 ➡ ㉣=10입니다.

❷ 위 빈칸에 알맞은 수를 써넣으세요.

❸ ▨▨으로 칠해진 수는 몇씩 커지는 규칙이 있을까요?

(2   )

❖ 8 →(+2) 10 →(+2) 12 →(+2) 14이므로 2씩 커집니다.

2단계 교과 사고력 확장

1 파란색, 초록색, 노란색을 사용하여 다음과 같이 규칙적으로 색을 칠했습니다. 물음에 답하세요.

❶ 위에서 본 색깔의 규칙을 찾아 써 보세요.
풀이 예) **파란색, 노란색, 초록색이 반복되는 규칙입니다.**

❷ 앞에서 본 색깔의 규칙을 찾아 써 보세요.
풀이 예) **초록색, 파란색, 노란색이 반복되는 규칙입니다.**

❸ 옆에서 본 색깔의 규칙을 찾아 써 보세요.
풀이 예) **노란색, 초록색, 파란색이 반복되는 규칙입니다.**

❹ 다음에 이어질 모양에 알맞은 색을 칠해 보세요.

(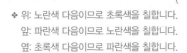)

❖ 위: 노란색 다음이므로 초록색을 칠합니다.
앞: 파란색 다음이므로 노란색을 칠합니다.
옆: 초록색 다음이므로 파란색을 칠합니다.

88 · Run- C 2-2

2 규칙을 찾아 도형에 알맞게 색칠해 보세요.

❶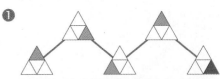

❖ 색칠한 칸이 시계 방향으로 1칸씩 옮겨지는 규칙입니다.

❷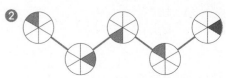

❖ 색칠한 칸이 시계 방향으로 2칸씩 옮겨지는 규칙입니다.

❸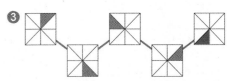

❖ 색칠한 칸이 시계 방향으로 3칸씩 옮겨지는 규칙입니다.

6. 규칙 찾기 · 89

2단계 교과 사고력 확장

3 헤미가 만든 무늬입니다. 물음에 답하세요.

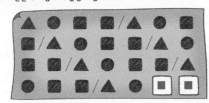

❶ 규칙을 찾아 써 보세요.
풀이 예) **▲, ●, ■, ■가 반복되는 규칙이 있습니다.**
❖ ▲, ●, ■, ■가 반복되는 규칙입니다.

❷ 위 빈 곳에 알맞은 모양을 그려 보세요.

❸ 위의 무늬에서 모양을 숫자로 바꾸어 나타내어 보세요.

3	0	4	4	3	0	4
4	3	0	4	4	3	0
4	4	3	0	4	4	3
0	4	4	3	0	4	4

❖ ▲-3, ●-0, ■-4로 나타내었습니다.

90 · Run- C 2-2

4 어느 해 11월 달력의 일부가 찢어져 있습니다. 이 해의 12월 3일은 무슨 요일인지 구해 보세요.

❶ 같은 요일은 며칠마다 반복될까요?
(7일)
❖ 일주일이 7일이므로 같은 요일은 7일마다 반복됩니다.

❷ 11월의 마지막 날은 며칠일까요?
(30일)
❖ 11월은 30일까지 있습니다.

❸ 11월의 마지막 날은 무슨 요일일까요?
(화요일)
❖ 11월은 30일까지 있고 30일은
30-7-7-7-7=2(일)과 같은 요일이므로 화요일입니다.

❹ 12월 3일은 무슨 요일일까요?
(금요일)
❖ 11월 30일은 화요일이므로 12월 1일은 수요일입니다.
따라서 12월 3일은 금요일입니다.

6. 규칙 찾기 · 91

③ 단계 교과 사고력 완성

정답과 풀이 p.23

평가 영역 ☑개념 이해력 □개념 응용력 □창의력 ☑문제 해결력

1 어느 공연장의 자리를 나타낸 그림입니다. 물음에 답하세요.

① 위 의자에 번호를 모두 써넣으세요.

❖ 각 열의 첫 번째 자리는

1　6　12　19로 5, 6, 7……씩 커집니다.
　+5　+6　+7

② 마열 다섯 번째 자리는 몇 번일까요?

（　**31번**　）

따라서 마열 첫 번째 자리는 19+8=27(번)이고 다섯 번째 자리는

| 27 | 28 | 29 | 30 | 31 | … 31번입니다.

③ 무대 쪽을 바라보고 있을 때 마열 오른쪽에서 두 번째 자리는 몇 번
일까요?

❖ 각 열의 오른쪽 첫 번째 자리는

5　11　18　26으로 6, 7, 8……씩 커집니다.
　+6　+7　+8

（　**34번**　）

따라서 마열 오른쪽 첫 번째 자리는 26+9=35(번)입니다.

92 · Run ~ 2-2　… | 33 | 34 | 35 |

└─ 마열 오른쪽 두 번째 자리

평가 영역 □개념 이해력 ☑개념 응용력 ☑창의력 □문제 해결력

2 규칙을 찾아 빈칸에 알맞은 수를 써넣으세요.

①

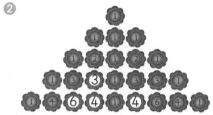

❖ 위의 두 수를 더하여 아래 왼쪽에 써넣는 규칙이 있습니다.

　➡ ㉠+㉡=㉢

②

❖ 가운데를 중심으로 위의 두 수를 더하여 왼쪽은 아래 왼쪽에,
오른쪽은 아래 오른쪽에 써넣는 규칙이 있습니다.

왼쪽 ㉠㉡ / ㉢　➡ ㉠+㉡=㉢　　오른쪽 ㉣㉤ / ㉥　➡ ㉣+㉤=㉥

6. 규칙 찾기 · 93

Test 종합평가　6. 규칙 찾기

맞은 개수

정답과 풀이 p.23

1 덧셈표를 보고 물음에 답하세요.

(1) 빈칸에 알맞은 수를 써넣으세요.

(2) ■으로 칠해진 수는 ↘ 방향으로 갈수록 몇씩 커지는 규칙이 있을
까요?

（　4　）

❖ 4-8-12-16 ➡ 4씩 커집니다.

2 규칙을 찾아 □ 안에 알맞은 학용품의 이름을 써 보세요.

（　**지우개**　）

❖ 연필, 지우개가 반복됩니다. 따라서 □ 안에 알맞은 학용품은
연필 다음이므로 지우개입니다.

3 규칙을 찾아 빈칸에 알맞은 모양을 그리고 색칠해 보세요.

❖ △, □, ♡가 반복되는 규칙입니다.

94 · Run ~ 2-2

4 규칙을 찾아 빈칸에 알맞은 수를 써넣으세요.

(1)　　　　　　　　　(2)

❖ (1) 시계 방향으로 4단 곱셈구구의 수입니다.
　(2) 시계 방향으로 7단 곱셈구구의 수입니다.

5 삼각형이 쌓여 있는 그림을 보고 규칙을 찾아 □ 안에 알맞은 모양을 그리고
색칠해 보세요.

❖ 삼각형이 1개, 3개, 6개로 1개부터 시작하여 2개, 3개……
씩 늘어나는 규칙입니다.

6 덧셈표의 일부를 떼어 낸 것입니다. 규칙을 찾아 빈칸에 알맞은 수를 써넣으
세요.

❖ · 같은 줄에서 오른쪽으로 갈수록 1씩 커집니다.
　· 같은 줄에서 아래쪽으로 내려갈수록 1씩 커집니다.　6. 규칙 찾기 · 95

Test 종합평가 6. 규칙 찾기

7 다음과 같은 모양으로 쌓기나무를 쌓았습니다. 쌓은 규칙을 써 보세요.

규칙 **예** 쌓기나무를 2층, 1층이 반복되게 쌓았습니다.

[8~9] 그림을 보고 물음에 답하세요.

8 규칙을 찾아 □ 안에 알맞은 동물의 이름을 써 보세요.

(곰)

✤ 다람쥐, 사슴, 곰이 반복되는 규칙이 있습니다.

9 위의 그림에서 🐿는 2, 🦌은 4, 🐻은 5로 바꾸어 나타내어 보세요.

2	4	5	2	4	5	2
4	5	2	4	5	2	4
5	2	4	5	2	4	5

✤ 동물을 각각 숫자로 바꾸어 나타내어 봅니다.

96 · Run- C 2-2

10 규칙을 찾아 시곗바늘을 알맞게 그려 보세요.

✤ 시계의 시각이 2시간씩 지나가는 규칙입니다. 따라서 마지막 시계는 6시에서 2시간 후인 8시를 가리킵니다.

11 규칙에 따라 쌓기나무를 쌓아 갈 때 □ 안에 놓을 쌓기나무는 몇 개일까요?

(7개)

✤ 쌓기나무가 2개씩 늘어납니다. 따라서 □ 안에 놓을 쌓기나무는 5+2=7(개)입니다.

12 규칙을 찾아 도형에 알맞게 색칠해 보세요.

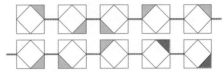

✤ 시계 방향으로 한 칸씩 이동하는 규칙입니다.

13 규칙에 따라 한글로 만든 모양입니다. 규칙에 맞게 빈칸을 완성해 보세요.

✤ ㄷ, ㅁ, ㄱ이 반복되는 규칙입니다.

6. 규칙 찾기 · 97

Test 종합평가 6. 규칙 찾기

14 달력을 보고 이달의 넷째 목요일은 며칠인지 구해 보세요.

❀ 11월 ❀

일	월	화	수	목	금	토
				1	2	3	4

(23일)

✤ 모든 요일은 7일마다 반복되므로 2+7+7+7=23(일)입니다.

15 규칙에 따라 쌓기나무를 쌓았습니다. 쌓기나무를 5층으로 쌓으려면 쌓기나무는 모두 몇 개 필요할까요?

(15개)

✤ 한 층 늘어날 때마다 쌓기나무는 1개씩 늘어납니다.
1+2+3+4+5=15(개)

16 승강기 안에 있는 숫자판에서 찾을 수 있는 규칙을 찾아 기호를 써 보세요.

ⓝ 오른쪽으로 갈수록 2배씩 커집니다.
ⓛ 위쪽으로 올라갈수록 1씩 작아집니다.
ⓒ 아래쪽으로 내려갈수록 1씩 커집니다.
ⓔ 왼쪽으로 갈수록 5씩 작아집니다.

✤ ㉠ 오른쪽으로 갈수록 5씩 커집니다. (㉣)
ⓛ 위쪽으로 올라갈수록 1씩 커집니다.
98 · Run- C 2-2 ⓒ 아래쪽으로 내려갈수록 1씩 작아집니다.

특강 창의·융합 사고력

① 지우네 학교 복도에 있는 신발장에 번호가 표시되어 있지 않은 곳이 있습니다. 대화를 읽고 친구들의 신발장 번호를 찾아보세요.

난 2층의 다섯 번째야. 지우
난 1층의 세 번째인데…… 준수

(1) 지우의 신발장 번호는 몇 번일까요?

(19번)

✤ 신발장 번호는 같은 줄에서 오른쪽으로 갈수록 1씩 커지고 아래쪽으로 갈수록 7씩 커집니다.
➡ 5+7+7=19(번)

(2) 준수의 신발장 번호는 몇 번일까요?

(24번)

✤ 3+7+7+7=24(번)

6. 규칙 찾기 · 99

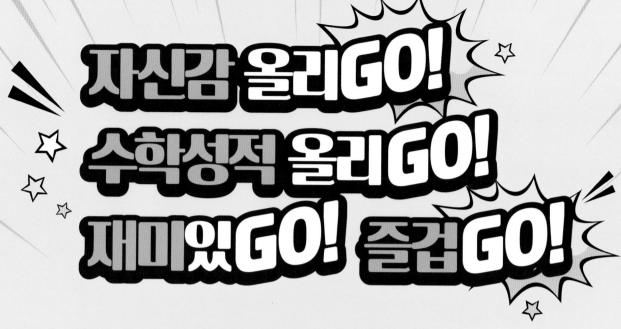

우리는 〈교과서+사고력〉으로 수학을 신나게 공부해요!

GO! 매쓰

자세한 문의는 ◯◯◯ - ◯◯◯◯ - ◯◯◯◯

GO! 매쓰

GO!

수학 2-2

정답과 풀이

Jump

유형 사고력

Run

교과서 사고력

Start

교과서 개념